バンド演奏に役立つ

音楽理論まるごとハンドブック

自由現代社

バンド演奏に役立つ

音楽理論まるごとハンドブック

CONTENTS

1 音の名前と高さ

2 インターバル

3 コードとコード・ネーム

4 キーとコード進行

5 スケール

6 リズム

7 楽譜の読み方

8 コード表

■本書について■

本書は、バンド演奏を始めとするポピュラー音楽のアンサンブルに必要な音楽理論を、見やすい小事典形式にまとめた解説書です。目次や巻末のINDEXから知りたい・調べたい項目を検索したり、目的に沿って「関連項目」を読み進めたり、楽器奏者の人が自由に活用できるように構成してあります。

■関連項目■

●コードを学ぶ・調べる
→「2.インターバル」「3.コードとコード・ネーム」「4.キーとコード進行」「8.コード表」

●スケールを学ぶ・調べる
→「2.インターバル」「4.キーとコード進行」「5.スケール」

●リズムを学ぶ・調べる
→「6.リズム」

●作曲・アドリブの参考
→「4.キーとコード進行」「5.スケール」「6.リズム」

●読譜・記譜の参考
→「1.音の名前と高さ」「6.リズム」「7.楽譜の読み方」

■鍵盤とフレットのダイヤグラム■

コードやスケールに関連する解説文や譜例には、キーボードとギターの2種のダイヤグラムを併記しています。ベースはギター・ダイヤグラムの6弦～3弦と共通です。この他の楽器奏者の方も、手元にどちらかの楽器があれば、ぜひ実際に音を出しながら読み進めてください。

キーボード（ピアノ）

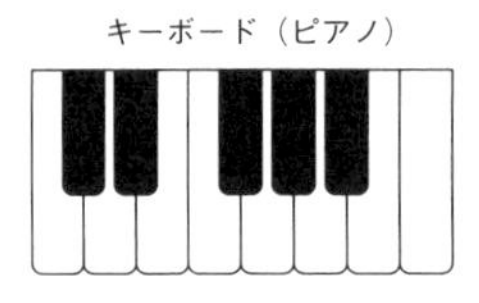

ギター（ベース）

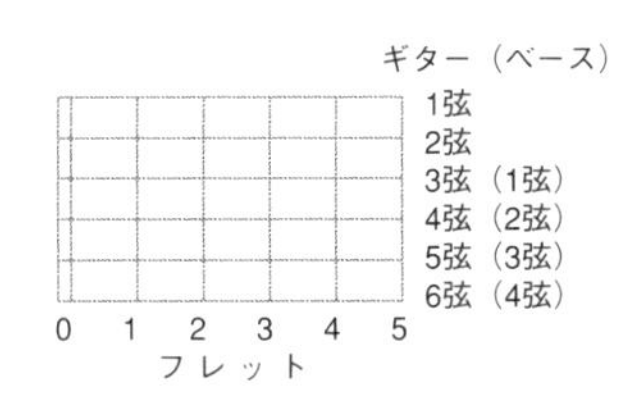

音の名前と高さ

1-1　音名と音域

1-2　五線と音の高さ

1-1 音名と音域

幹音

ピアノの白鍵にあたる「ドレミファソラシ」の7つの音を**幹音**という。音名は国によって呼び方が変わり、コードを使用するポピュラー音楽では、主に英語音名の「CDEFGAB」を使う。

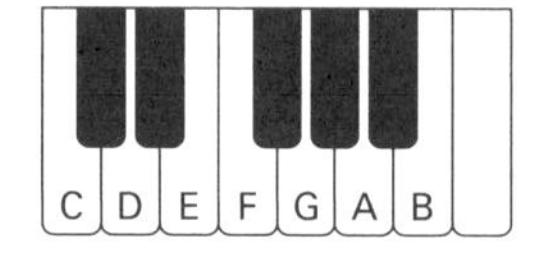

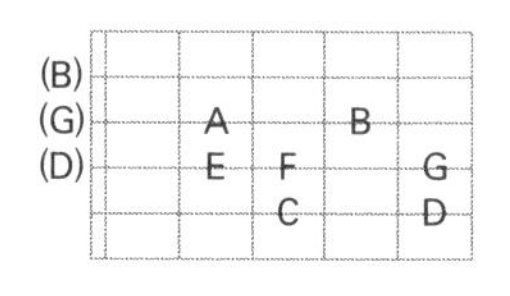

派生音

幹音をもとに ♯(シャープ)や ♭(フラット)などの臨時記号を付けて表わす音を**派生音**という。音名は、幹音の半音上なら ♯、半音下なら ♭ を付けて表わす。C♯＝D♭のように、同じ高さで音名の違う音を**異名同音**(またはエンハーモニック)という。譜例は上下に点線でつながれた音がピアノの5つの黒鍵にあたる異名同音、( )の音は＝の幹音名と異名同音になり、鍵盤やフレット上には実質存在しない。

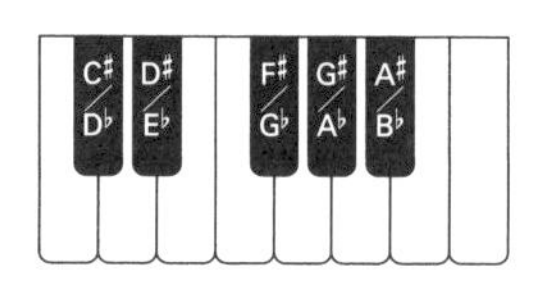

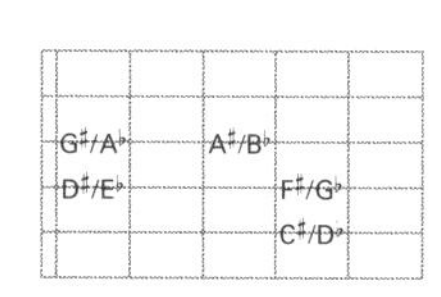

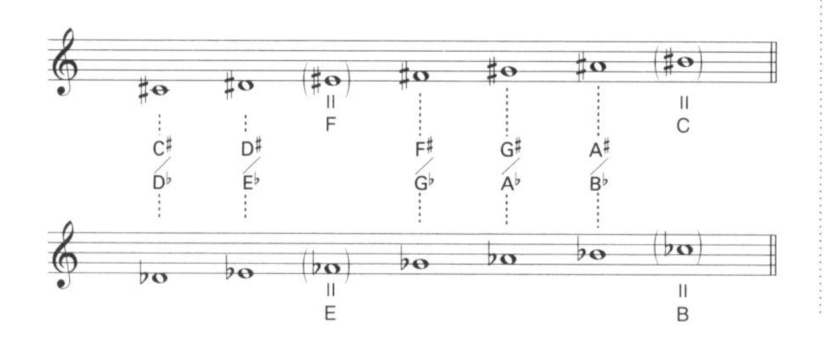

半音と全音

ピアノの鍵盤の白黒にかかわらず隣合う音同士、またはギターやベースの隣合うフレットの音同士の間隔を**半音**（セミトーン）といい、鍵盤やフレットを１つとばした半音２つ分の音同士の間隔を**全音**（ホールトーン）という。

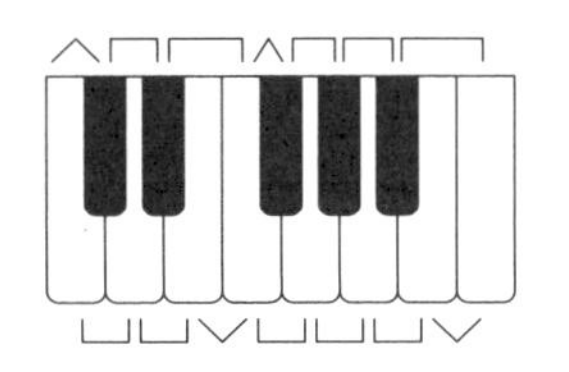

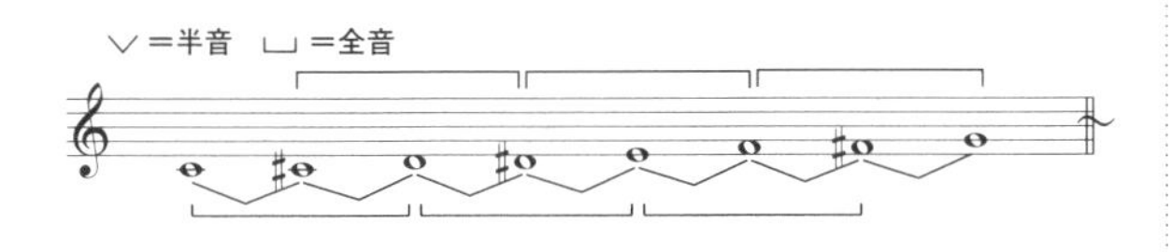

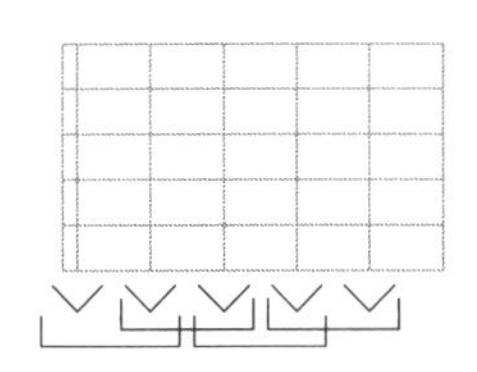

オクターブ

調性のある楽器（ドレミファソ～を発音できる楽器）は、幹音と派生音を合わせた12音を半音ずつ配列し、13音目からは高さの違う同じ音の並びが繰り返される。この半音12個分の音同士の関係を**オクターブ**という。

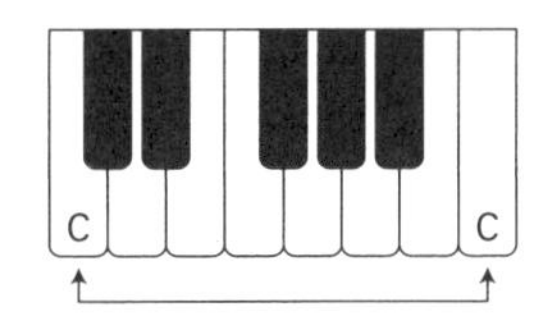

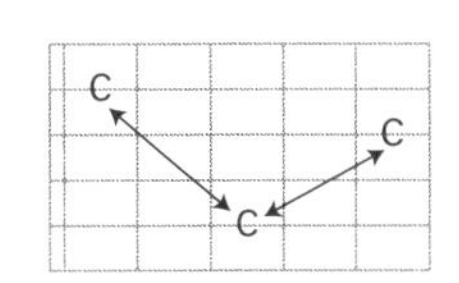

オクターブは、Cから一つ上のCまでを1オクターブ、さらにその上のCまでを2オクターブ、といったように数える。

ポピュラー楽器の音域

楽器の発音可能な最低音から最高音までの幅を**音域**といい、音域は楽器によって異なる。一般的な楽器の中で一番広い音域を持つピアノは88鍵を有し、これは約7オクターブにあたる。下図はピアノの88鍵上に各種楽器の実音（実際に鳴る音）の音域を示したもの。なお、弦楽器や管楽器には実音と記譜音（楽譜に書き表わす音）が異なるものがある（→P.14『記譜と実音』）。

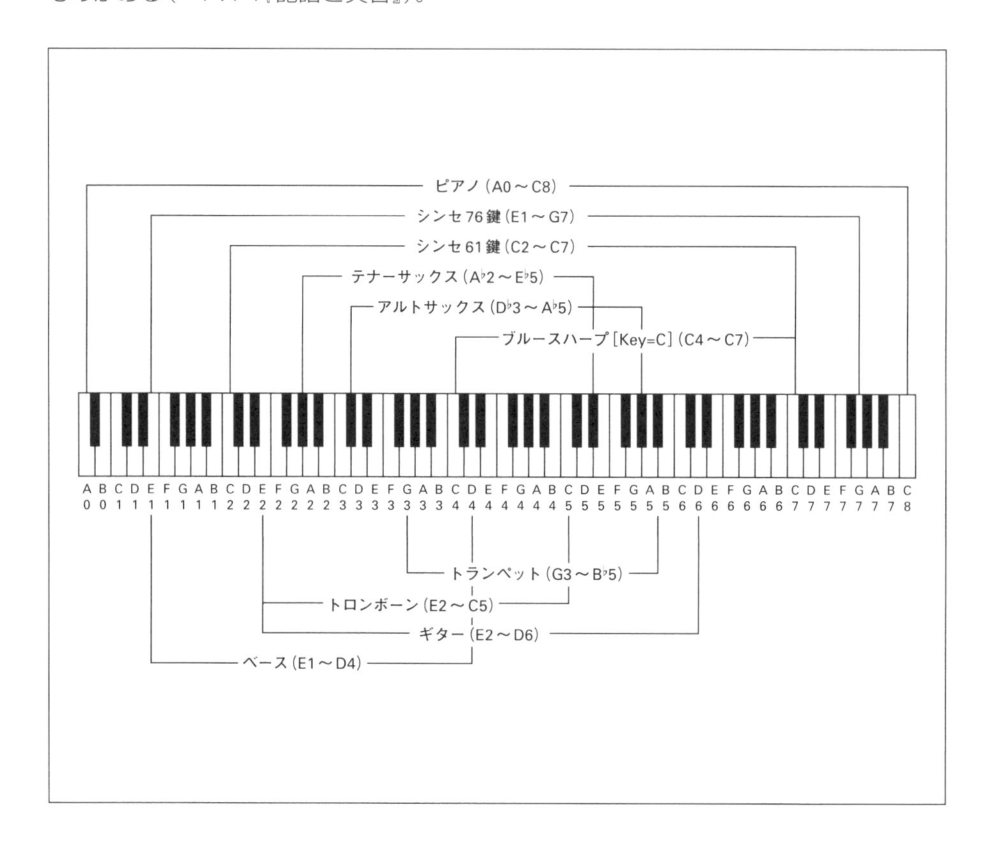

A0～C8までの鍵盤番号のうち、A4がチューニングの基準音である440HzのA音。C4はミドルCと呼び、さまざまな高さの音の中間的な目安となる音。

ヴォーカルの音域

声域（ヴォーカルの音域）は男女によって変わり個人差もあるが、一般的に自然な発声が可能な2オクターブ前後を示すと下図のようになる。発声は高い音ほど声量が大きくなるので、仮に男声と女声で近い音域をハモるようなコーラス・アレンジの場合は、声のハリのバランスに注意する必要がある。

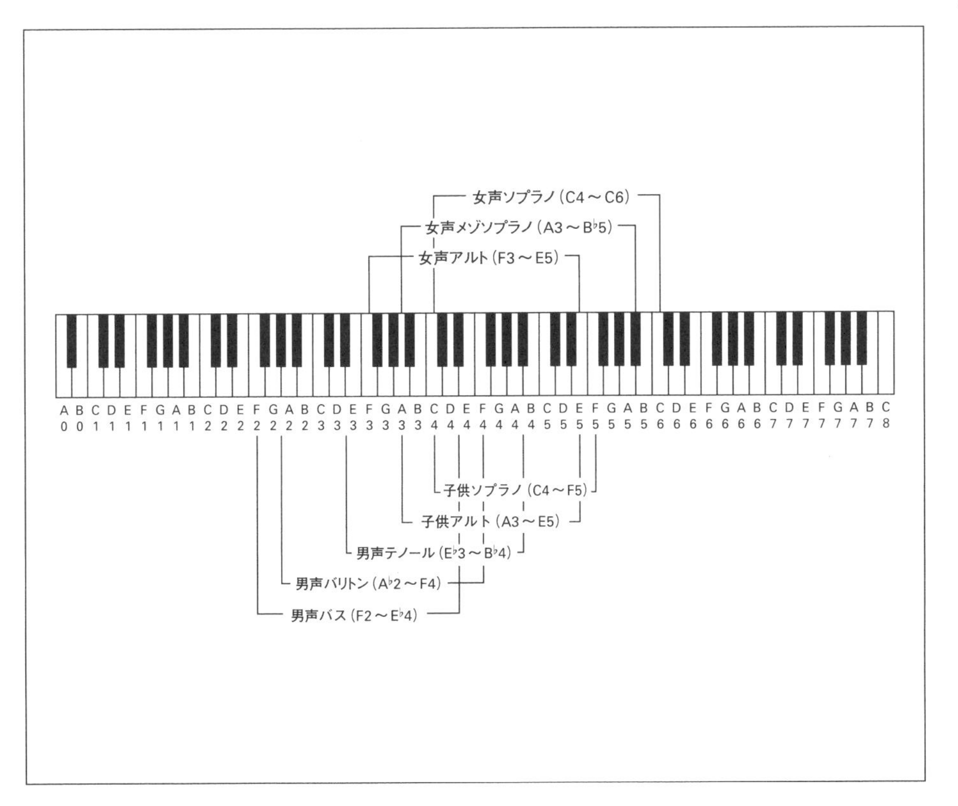

1-2 五線と音の高さ

五線と音部記号

音の高さを楽譜に表わすときは、五線の一番最初に**音部記号**(おんぶきごう)が書かれる。**ト音記号**(Gクレフ)はピアノの右手やギター他、高音域の楽譜に用いられ、**へ音記号**(Fクレフ)はピアノの左手やベース他、低音域の楽譜に用いられる。それぞれの記号名と形が五線の基準音を表わしている。

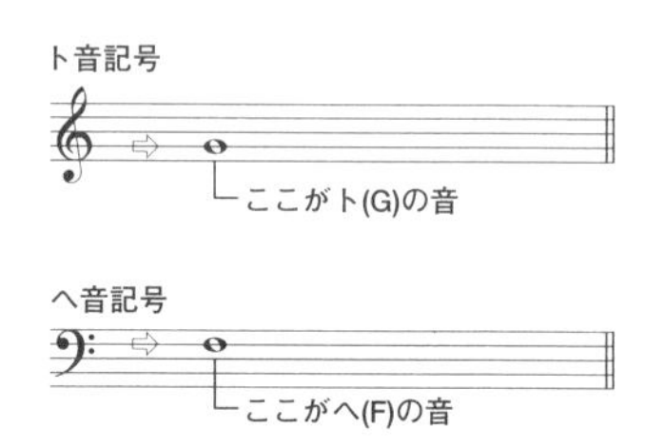

ト音記号とへ音記号の関係

ト音記号とへ音記号の五線の音の高さは、ピアノのミドルCでつながる。鍵盤楽器は音域が広いので、両者が上下2段になった**大譜表**(だいふひょう)が用いられる。

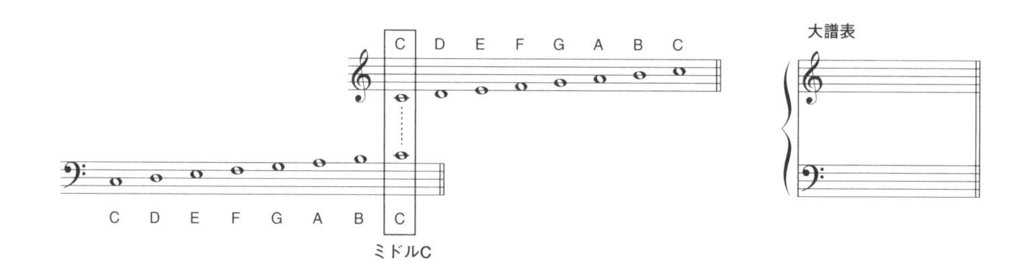

ト音記号の五線は高音部譜表、へ音記号の五線は低音部譜表という。

加線

五線内に書き切れない低い音や高い音は、**加線**という小さな線を臨時的に足して記譜される。

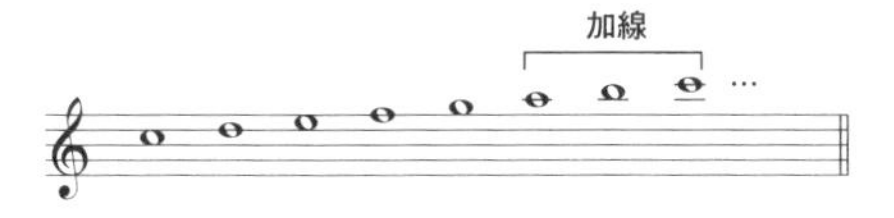

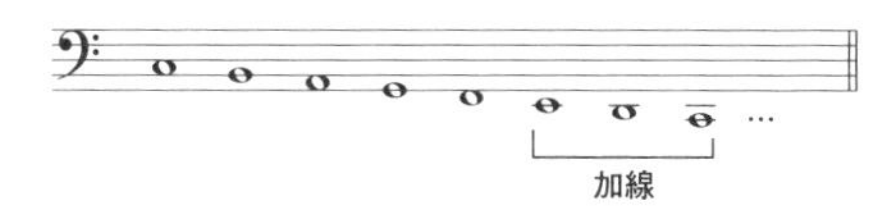

オクターブ記号

加線が増えると楽譜は読みにくくなるため、加線の音が連続する場合は、**オクターブ記号**が使われることがある。オクターブ記号は、五線の上に付いていたら実際には1オクターブ上、下に付いていたら1オクターブ下で演奏する。

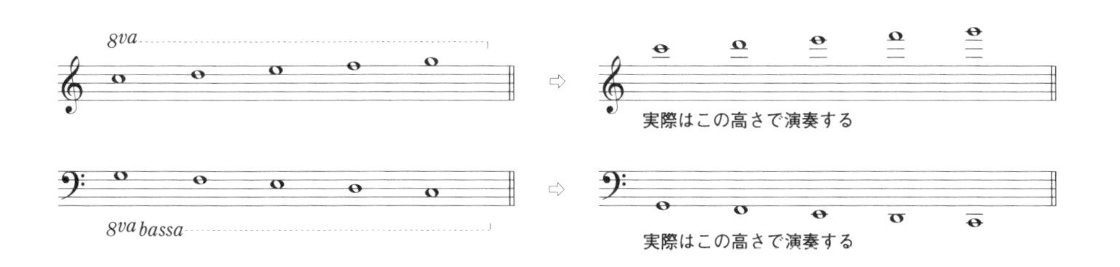

記譜と実音

楽譜は、楽器によって実音と記譜音の高さが異なる場合がある。ギターはト音記号の譜表、ベースはヘ音記号の譜表に記譜するが、実音はそれぞれ1オクターブ下になる。また、サックスなどの移調楽器は調管によって移調して記譜する。ここでは、各種ポピュラー楽器の音域の記譜と実音の関係を五線上で示す。

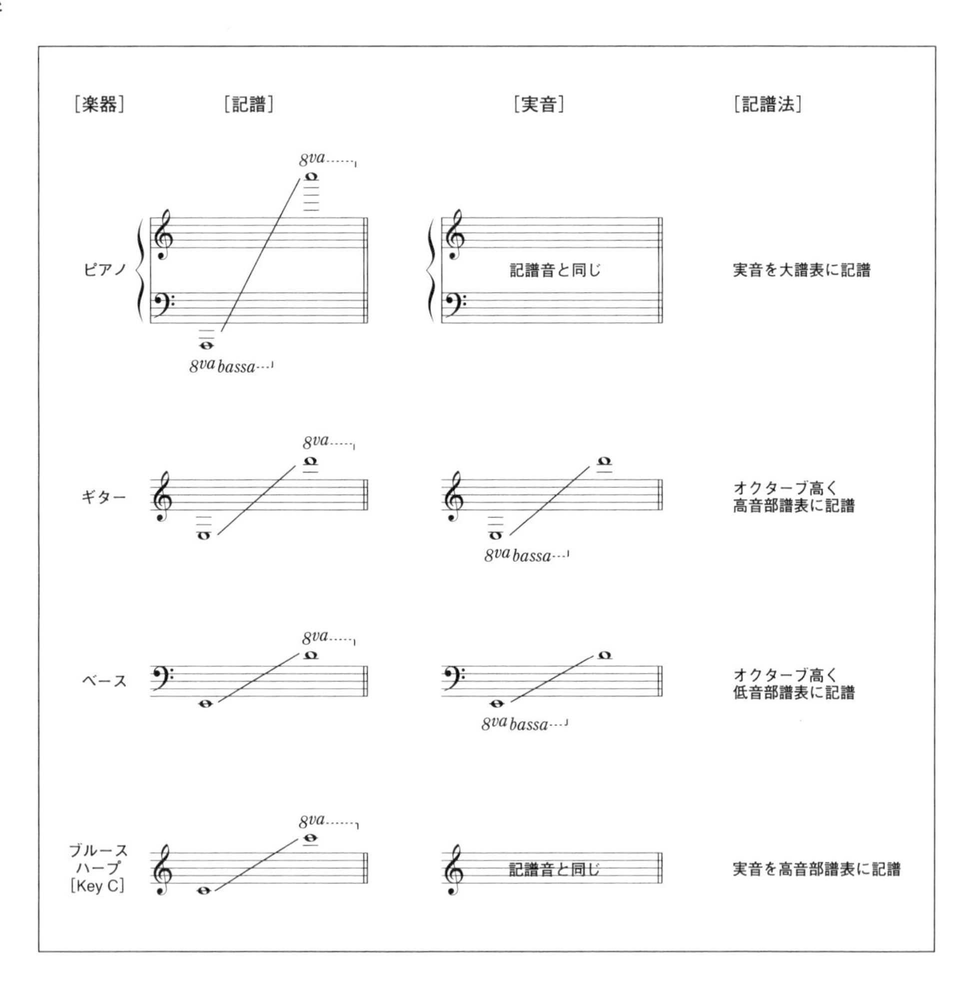

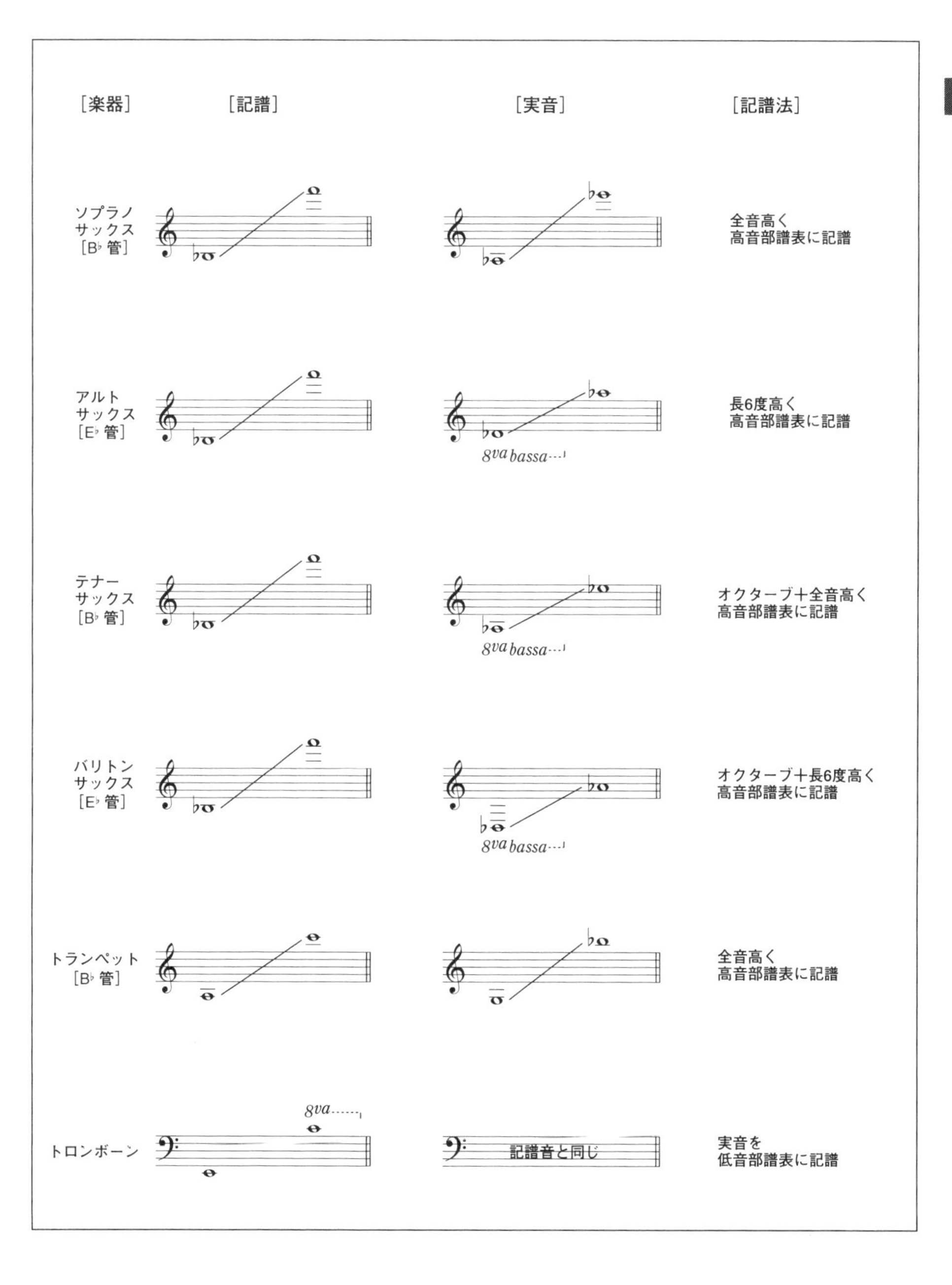

歌の楽譜は子供・女声・男声テノールは高音部譜表、男声バリトン・バスは低音部譜表に記譜する。ただし、一般的なポピュラー譜では男声は実音よりオクターブ上げて高音部譜表に書かれる。

臨時記号の種類

派生音に付く♯（シャープ）や♭（フラット）は**臨時記号**という。♯は半音上、♭は半音下を表わす。元の高さに戻すときは♮（ナチュラル）を付ける。♯のさらに半音上を表わす𝄪（ダブル・シャープ）、♭のさらに半音下を表わす𝄫（ダブル・フラット）もあるが、実用ではあまり使用されない。

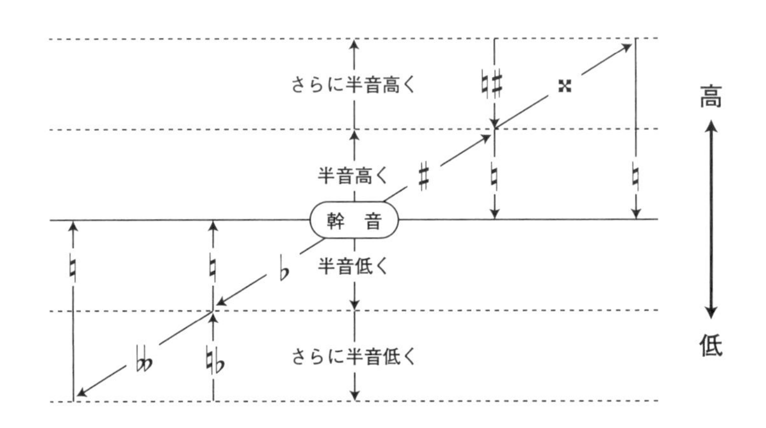

𝄪や𝄫を半音だけ戻すときは♮♯や♮♭のような表記をする。

臨時記号の有効期限

五線上で臨時記号は音符の左に書かれ、同じ小節内では全て有効になり、小節が変わると元の高さに戻る。同じ小節内で元の高さに戻すときは♮を付ける。

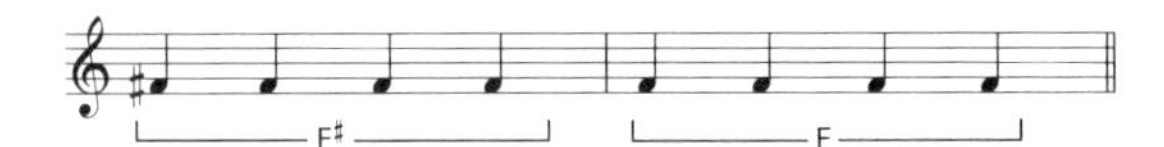

インターバル

2-1 音程と度数

音程とは?

音程(インターバル)とは、2つの音の高さの幅を指す。2音を並べたときの音程を**旋律的音程**、同時に鳴らした音程を**和声的音程**と呼ぶ(図a)。音程を表わす単位には**度数**が使われ、楽譜上で同じ高さの音を「1度」とし、順に「2度」「3度」…と数える。オクターブ内の1度から8度までを**単音程**と呼び、9度以上は2度からの並びが繰り返されるため、**複音程**と呼ぶ(図b)。

・a 音程の種類

・b 単音程と複音程

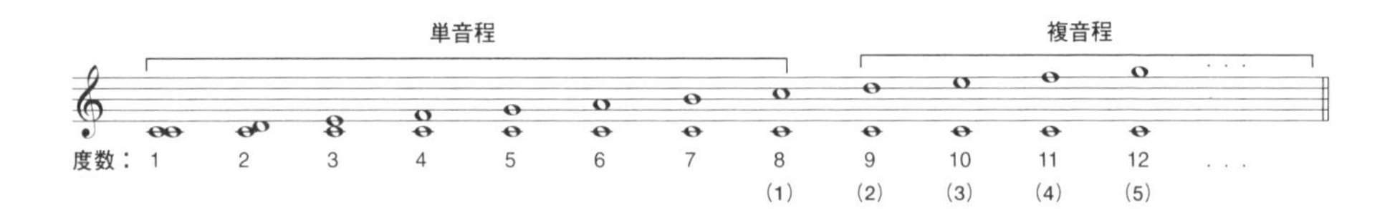

半音を含む度数

度数は半音を含むため、オクターブ内の12音の音階上で以下のように名称が区別される(ここではCを基準とする)。各音程の仕組みは次項2-2より紹介する。

Key = C におけるクロマチックインターバル

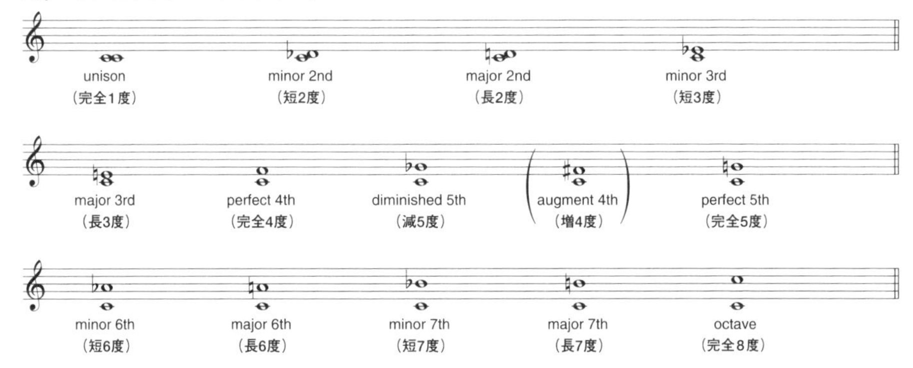

音程の増減

音程は半音単位で増減することによって名称が変わる。完全音程と長音程の半音上は増音程、完全音程と短音程の半音下は減音程、長音程の半音下は短音程となる。増音程の半音上を重増、減音程の半音下を重減とも呼ぶが、実用ではあまり使用しない。

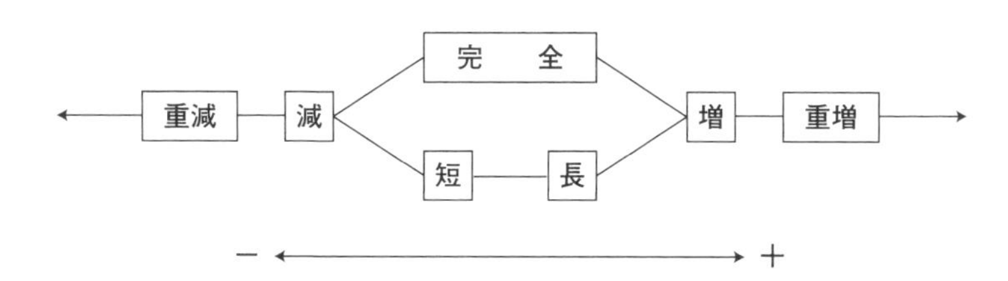

音程は増減することによって増1度と短2度のように結果的に同じ音程を指すことがある。これを異名同音程という。

転回音程

2音間の音程を逆転させた音程を**転回音程**と呼ぶ。完全1度をオクターブ上げた(転回させた)ときの各転回音程の配分は下図のようになる。

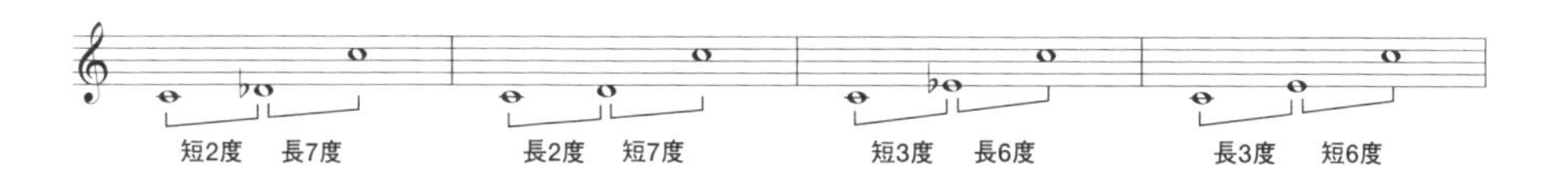

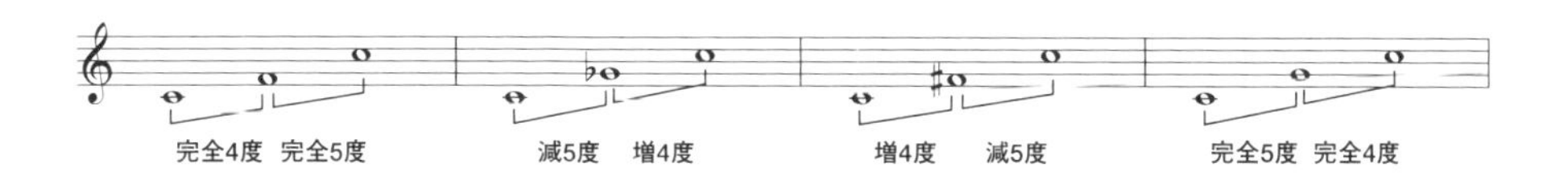

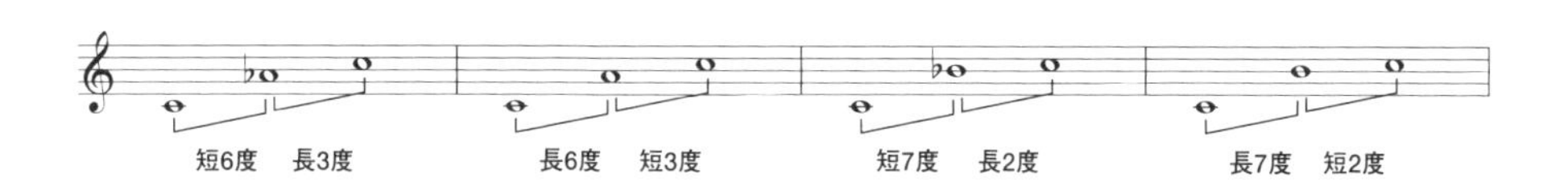

2-2　完全音程

1、4、5、8度を完全音程と呼ぶ。**★ここからは譜例は幹音、ダイヤグラムはすべてCを完全1度に統一して示す。**

完全1度

Unison　略号：P1

度数の数えはじめの音を完全1度とする。音名と高さが完全一致する音同士をユニゾン(Unison)とも呼ぶ。

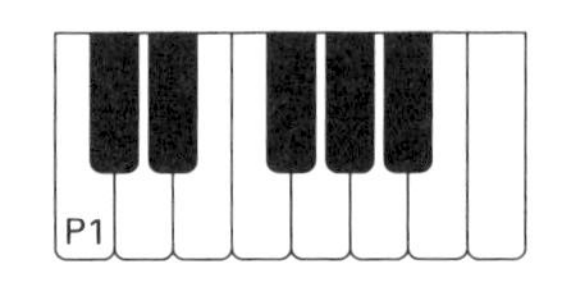

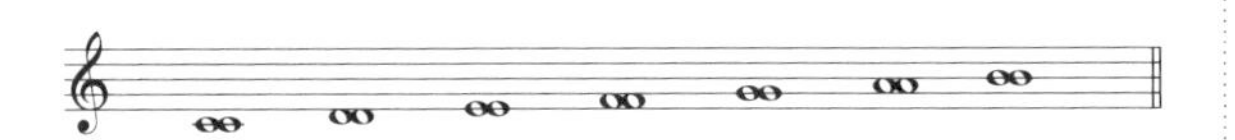

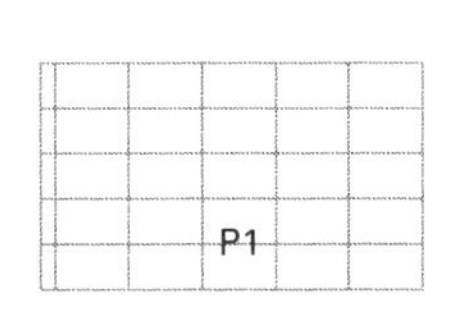

完全8度

Octave　略号：P8

オクターブ関係で音名が同一の音(Cならその上のC、Dならその上のD)は全て完全8度。ギターやベースの場合は、弦とフレットの位置関係を頭に入れておくと良い。

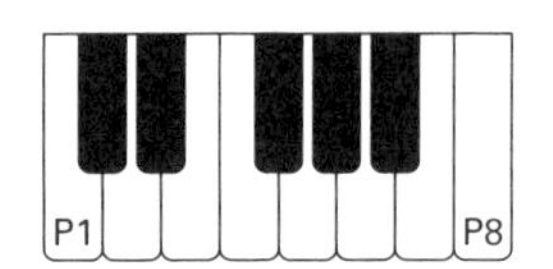

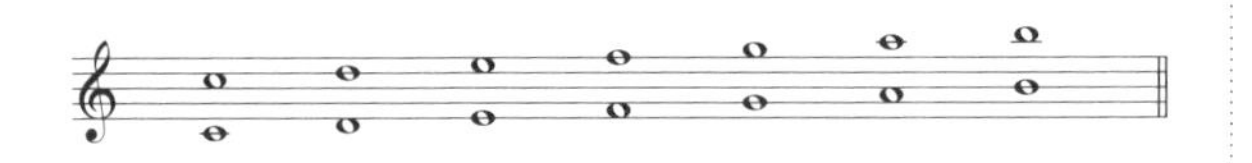

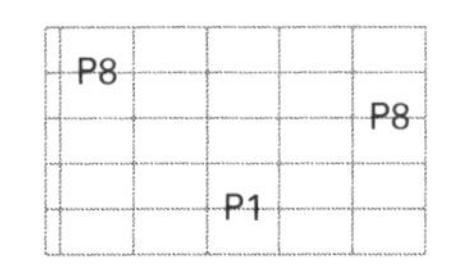

完全音程の略号ではPerfectの頭文字のPが使われる。

完全4度 Perfect 4th 略号：P4

完全１度から半音５つ分の音程。

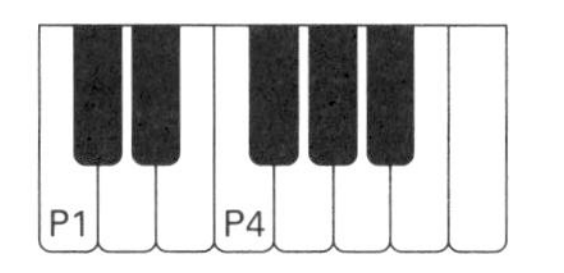

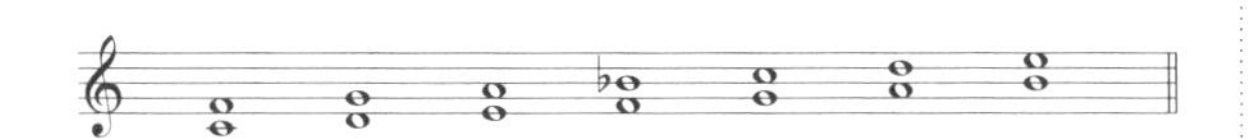

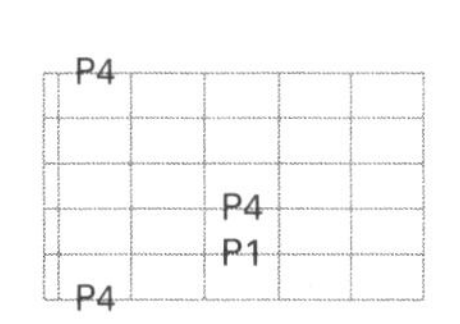

完全5度 Perfect 5th 略号：P5

完全１度から半音７つ分の音程。メジャー・コード、マイナー・コードの構成音。

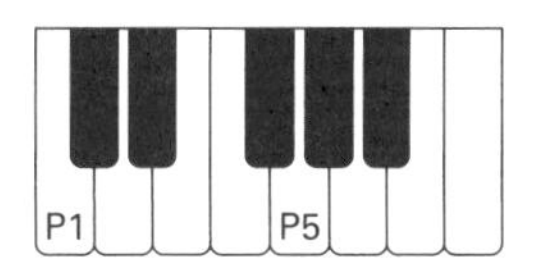

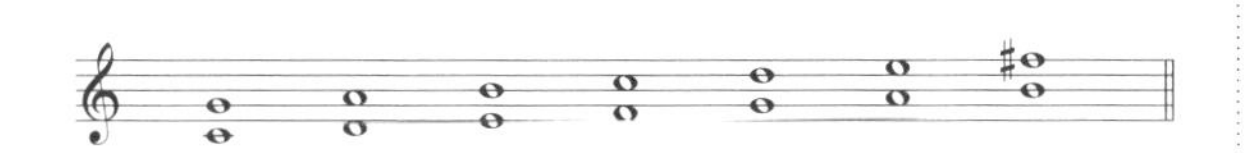

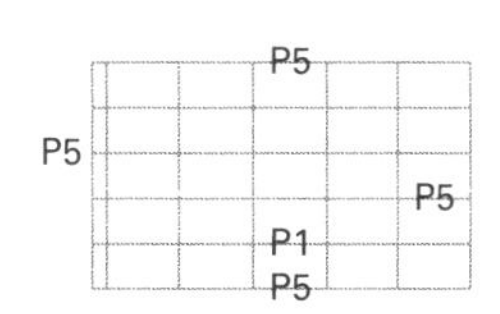

2-3 長音程と短音程

2、3、6、7度は長音程と、長音程の半音下の短音程がある。

長2度

Major 2nd　略号：M2

完全1度と全音関係の音程は長2度。コードでは1度とぶつかりあうので基本的に構成音にはならない（→P.41『アド・コード』のadd2を除く）。

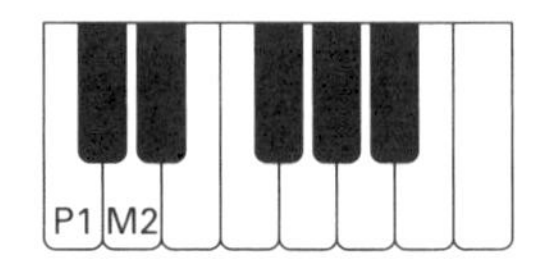

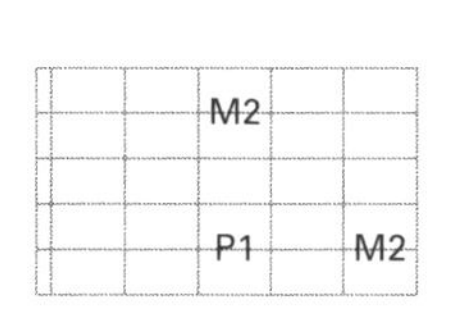

短2度

minor 2nd　略号：m2

完全1度と半音関係の音程、長2度の半音下は短2度。長2度と同じく1度とぶつかりあうのでコードの構成音にはならない。

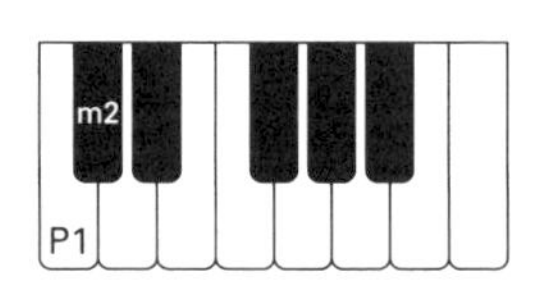

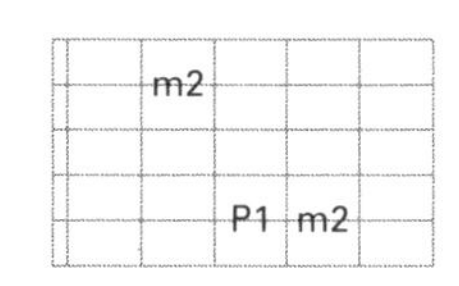

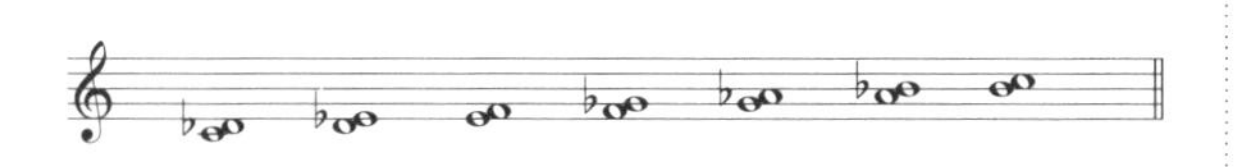

長3度　Major 3rd　略号：M3

完全１度から半音４つ分の音程。メジャー系コードの構成音。

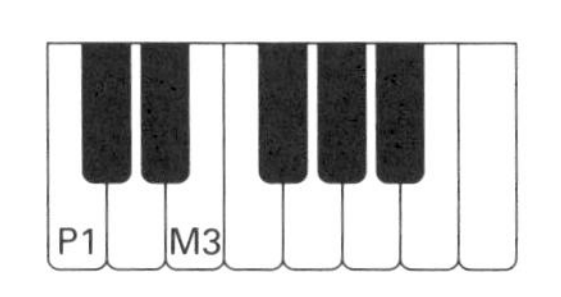

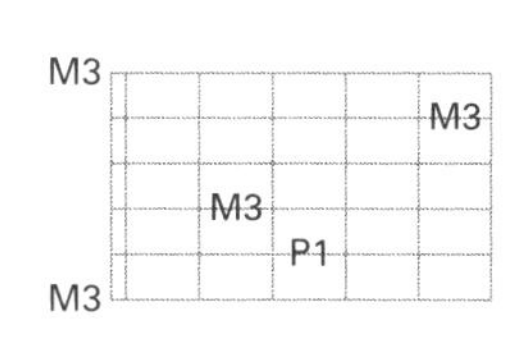

短3度　minor 3rd　略号：m3

完全１度と半音３つ分の音程、長３度の半音下は短３度。マイナー系コードの構成音。

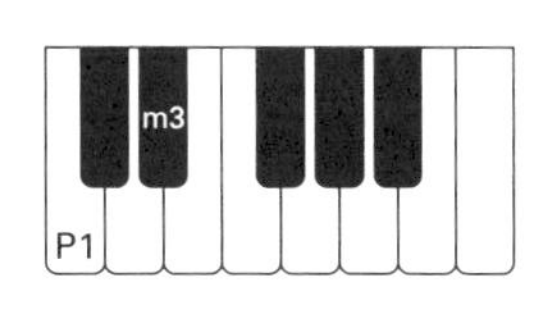

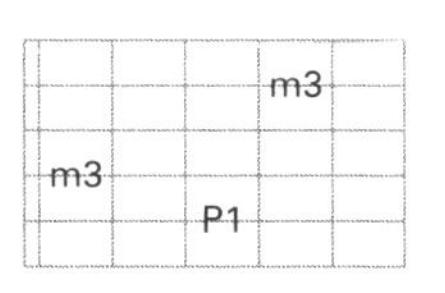

長6度　Major 6th　略号：M6

完全1度から半音9つ分の音程。シックス·コード、マイナー·シックス·コードの構成音。

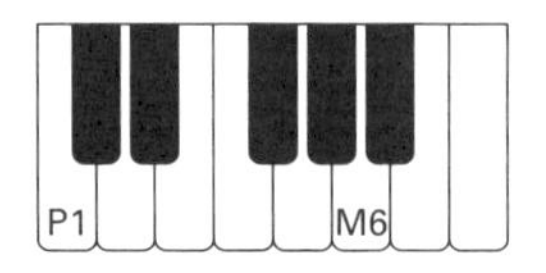

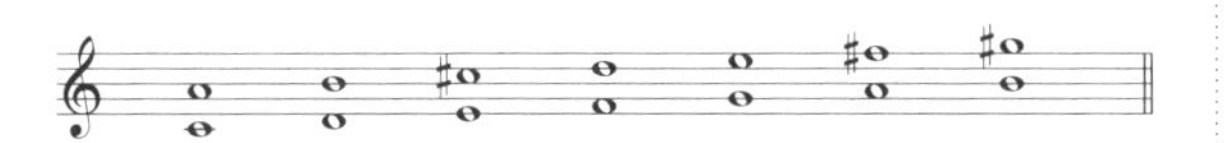

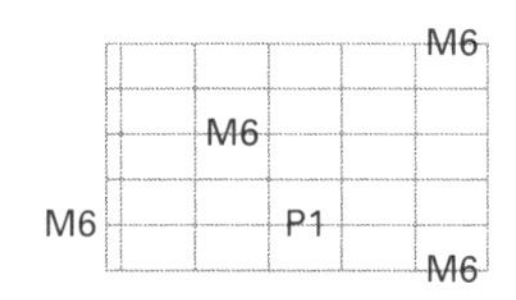

短6度　minor 6th　略号：m6

完全1度から半音8つ分の音程、長6度の半音下。コード上の音程としては完全5度の半音上の増5度(aug5)として示される。

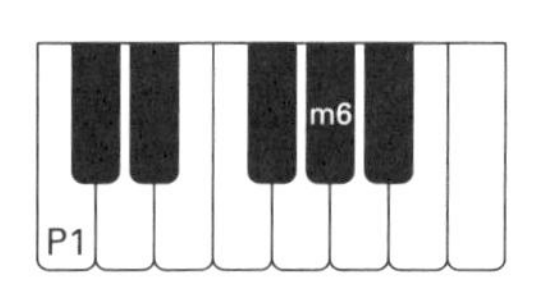

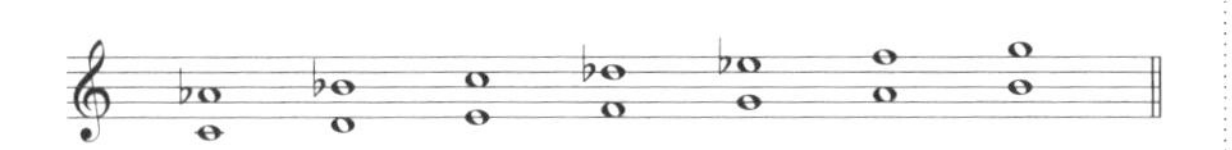

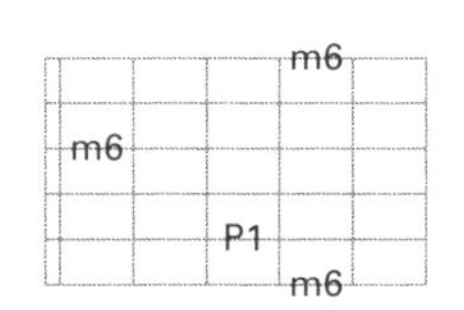

長7度　Major 7th　略号：M7

完全１度から半音１１個分の音程。メジャー･セブンス系コードの構成音。完全８度の半音下として視覚的に覚えておくと便利。

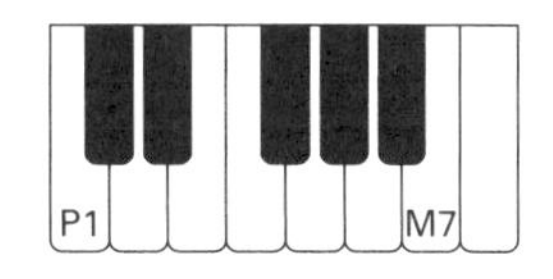

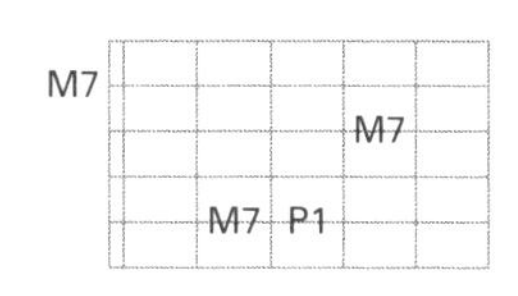

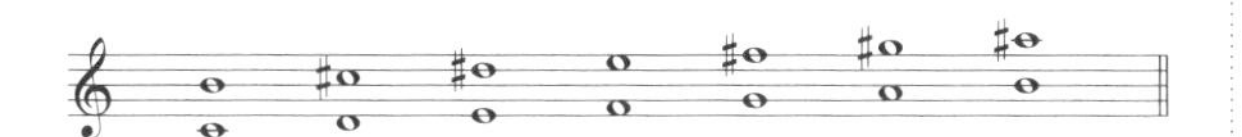

短7度　minor 7th　略号：m7

完全１度から半音１０個分の音程、長７度の半音下。セブンス･コードの構成音。完全８度の全音下として視覚的に覚えておくと便利。

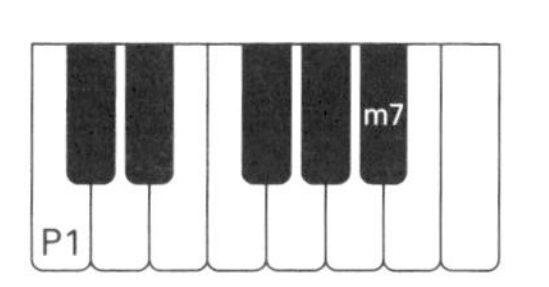

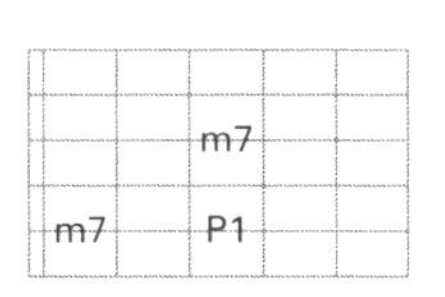

2-4　増音程と減音程

完全音程と長音程は半音上がると増音程、完全音程と短音程は半音下がると減音程となる（→P.19『音程の増減』）。オクターブ内で丁度中間に位置する、完全４度と完全５度に挟まれた音（Cを１度としたときのF♯またはG♭）は、増４度と減５度の異名同音程。

増４度　augment 4th　略号：aug4

完全１度から半音６つ分の音程、完全４度の半音上。

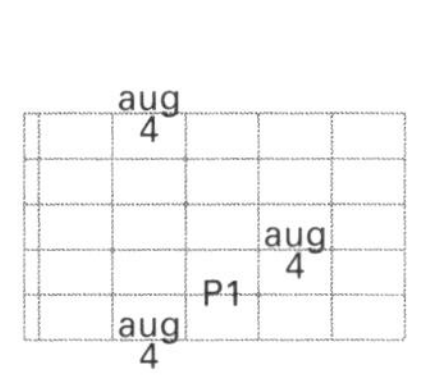

減５度　diminished 5th　略号：dim5

完全１度から半音６つ分の音程、完全５度の半音下。

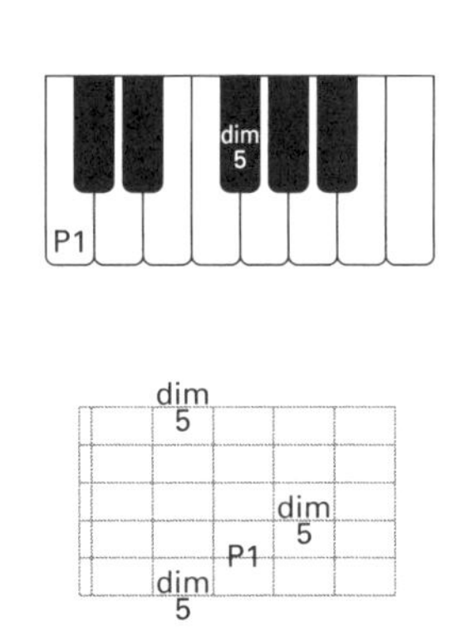

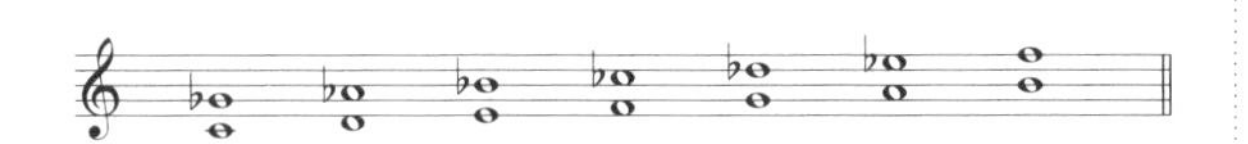

増4度あるいは減5度は、全音3つ分の距離。これをトライトーン（三全音）という。トライトーンは転回しても同じ音程。

コードとコード・ネーム

3-1 コードの成り立ち

コードとは？

音程の異なる3つ以上の音を積み重ねた和音を**コード**という。1度から奇数音程の音を3音または4音積み重ねたものが基本形となり、1度になる音を**ルート音**（Root）という。

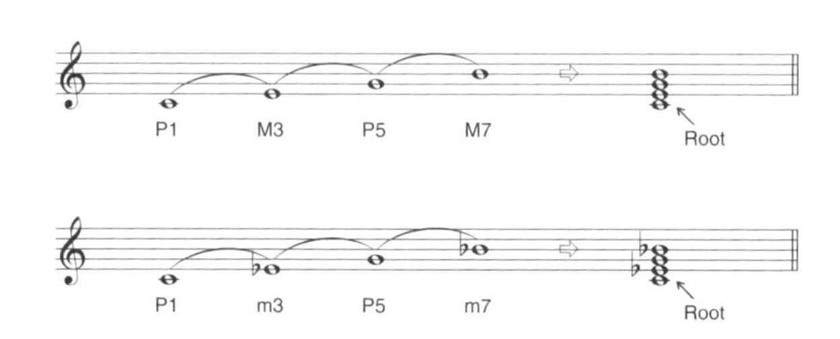

コード・ネームのしくみ

コードは、ルート音に何の音が積み重なるかによって種類が決まり、それぞれに**コード・ネーム**が付けられる。英語音名でルートを表わし、その後ろに付く小文字や数字などは、ルート音に積み重なるその他の構成音の略号。

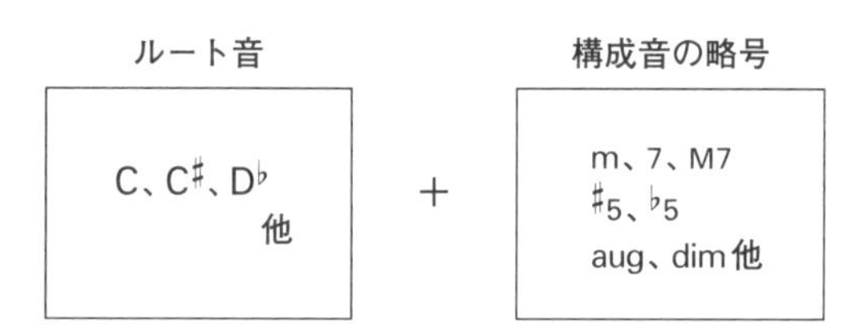

コード・ネームの一覧

コード·ネームは、コードによって表記が数パターンあるものがある。本書では、左側のコード·ネームで統一する。**★ここでは使用頻度の高いコードのみ掲載。**

[コード・ネーム]	[読み方]	[その他の表記]
C	シー・メジャー(またはシー)	
Cm	シー・マイナー	C^{-}
Caug	シー・オーギュメント	C^{+}、$C^{(+5)}$
Cdim	シー・ディミニッシュ	C°、Cdim7
C6	シー・シックス	
Cm6	シー・マイナー・シックス	
C7	シー・セブンス	
Cm7	シー・マイナー・セブンス	
CM7	シー・メジャー・セブンス	Cmaj7、C△7
CmM7	シー・マイナー・メジャー・セブンス	Cmmaj7、Cm△7
$Cm7^{(\flat5)}$	シー・マイナー・セブン・フラット・ファイブ	$Cm7^{(-5)}$、$C^{\emptyset}$
$CM7^{(\sharp5)}$	シー・メジャー・セブン・シャープ・ファイブ	$CM7^{(+5)}$
Csus4	シー・サス・フォー	
Cadd9	シー・アド・ナインス	
C/D	シー・オン・ディー	ConD、$\frac{C}{D}$

3-2 トライアド（三和音）

1、3、5度の3音でできたコードを**トライアド**（三和音）という。**★ここからは譜例は幹音ルート、ダイヤグラムはすべてCを完全1度に統一して示す。**

メジャー・トライアド　表記：C

ルート音に長3度と完全5度を積み上げたコード。

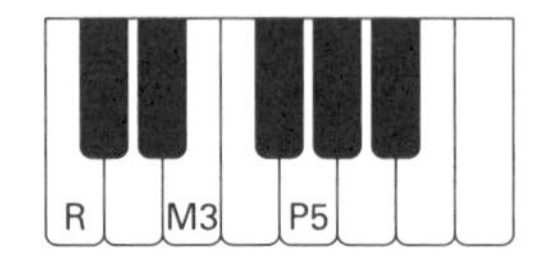

コード・トーン ➡ R、M3、P5

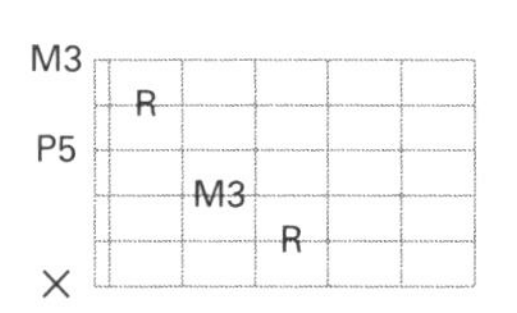

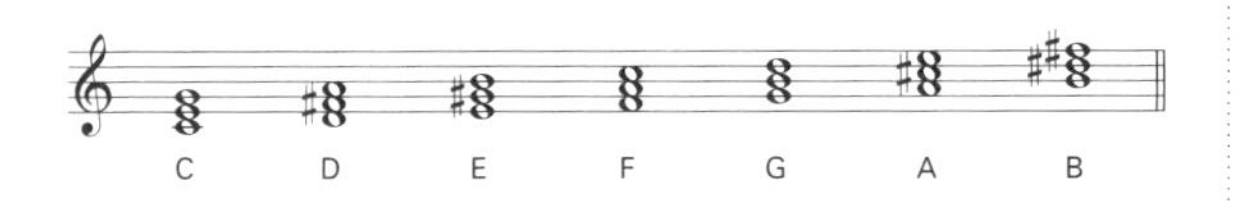

マイナー・トライアド　表記：Cm

ルート音に短3度と完全5度を積み上げたコード。メジャー・トライアドの3度が半音下がる。

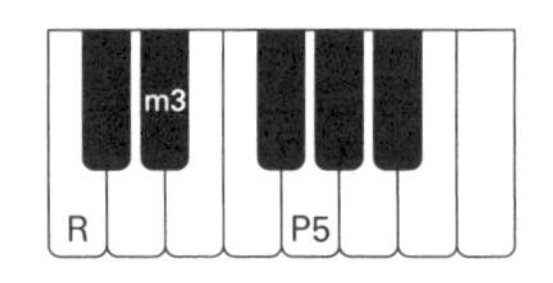

コード・トーン ➡ R、m3、P5

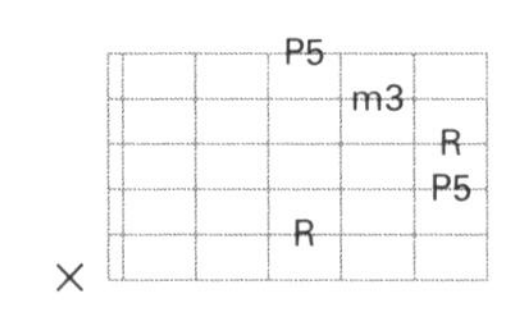

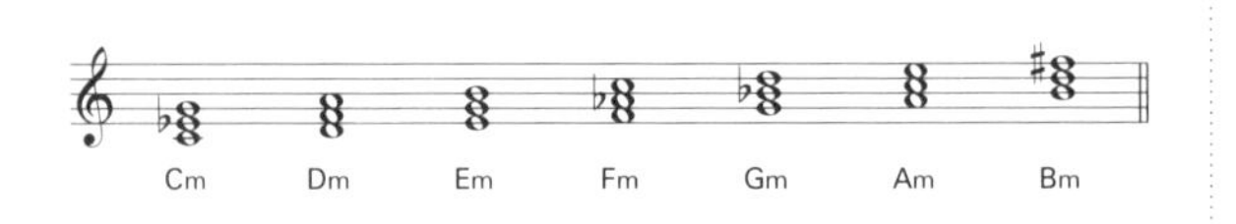

オーギュメント・トライアド

表記：Caug

ルート音に長3度と増5度を積み上げたコード。メジャー・トライアドの5度が半音上がる。

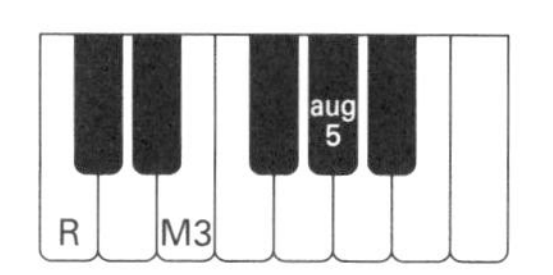

コード・トーン ➡ R、M3、aug5

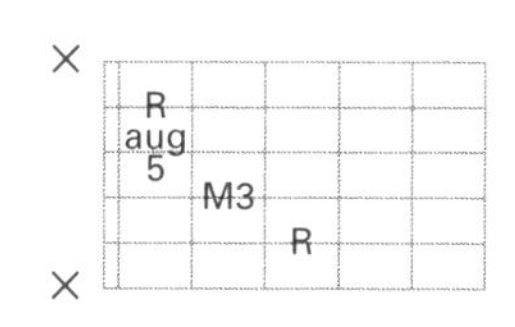

オーギュメント・トライアドは長3度ずつ積み上げたコードで等音程和音と呼ばれる（→P.36『等音程和音』）。

ディミニッシュ・トライアド

表記：Cdim

ルート音に短3度と減5度を積み上げたコード。マイナー・トライアドの5度が半音下がる。

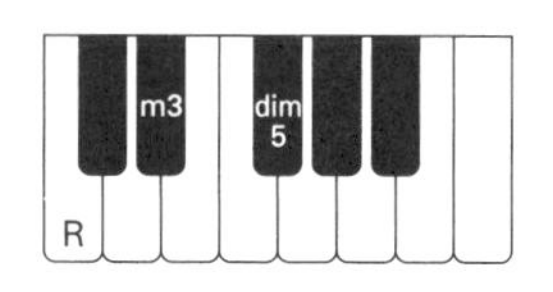

コード・トーン ➡ R、m3、dim5

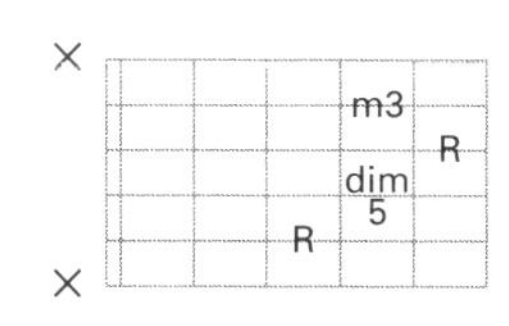

コード・ネームのdimは一般的にはトライアドではなく減7度を加えたdim7を示す（→P.36『ディミニッシュ・セブン』）。

3-3　付加和音

トライアドに6度や7度を追加したコードを付加和音と呼ぶ。

シックス　表記：C6

メジャー・トライアドに長6度を加えたコード。コード・ネームの数字の6は長6度を表わしている。

コード・トーン ➡ R、M3、P5、M6

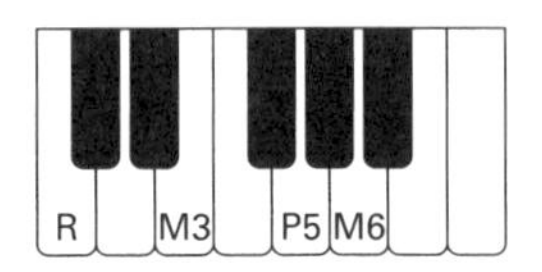

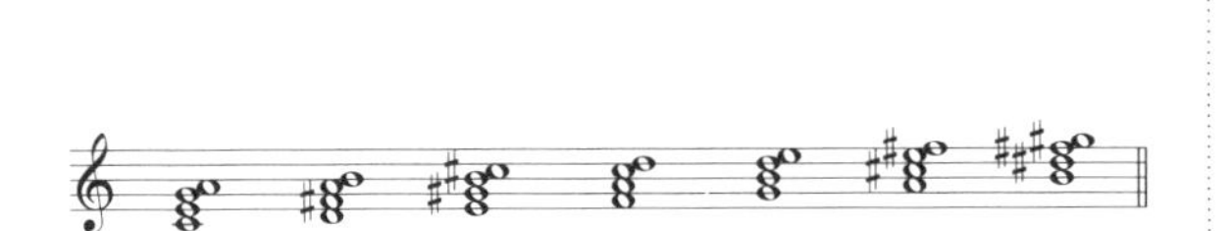

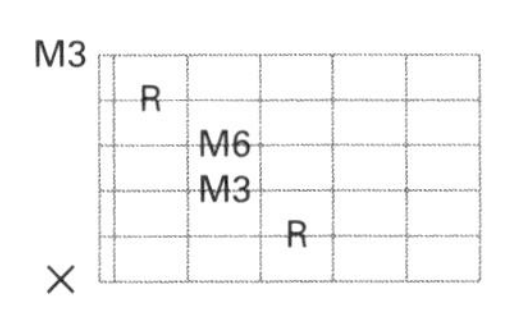

マイナー・シックス　表記：Cm6

マイナー・トライアドに長6度を加えたコード。コード・ネームのmはマイナー・トライアドのマイナー、数字の6は長6度を表わしている。

コード・トーン ➡ R、m3、P5、M6

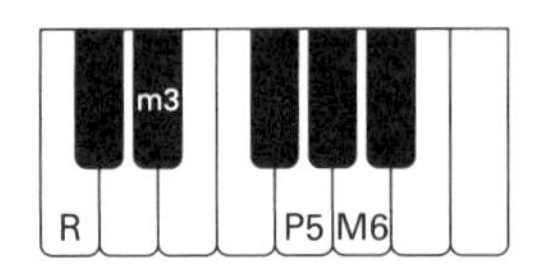

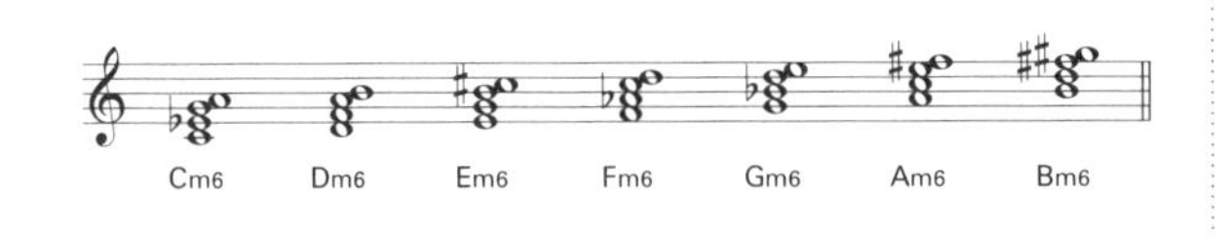

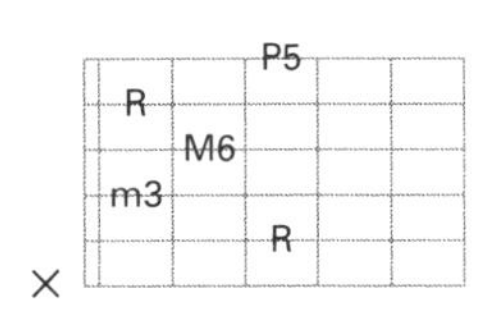

コード・ネームで使われる数字の6は長6度。短6度の音は増5度（aug5、♯5）として使われる。

セブンス　表記：C7

メジャー・トライアドに短７度を加えたコード。コード・ネームの数字の７は短７度を表わしている。３度と７度の音程はトライトーン。

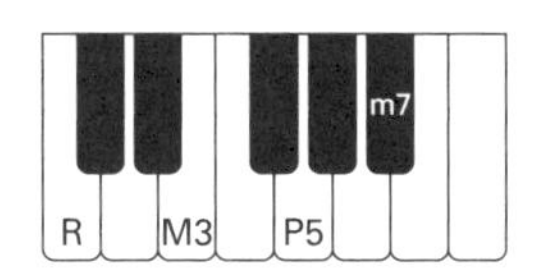

コード・トーン ➡ R、M3、P5、m7

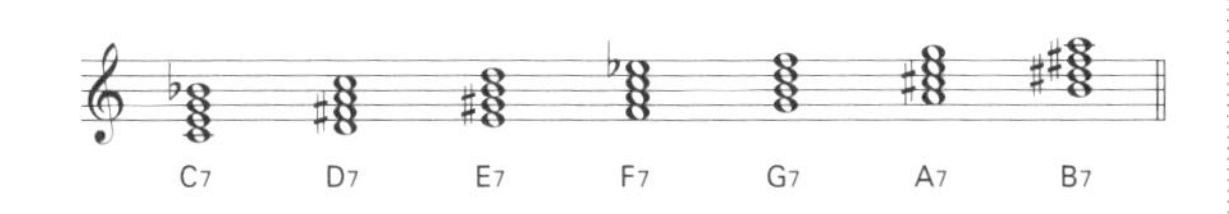

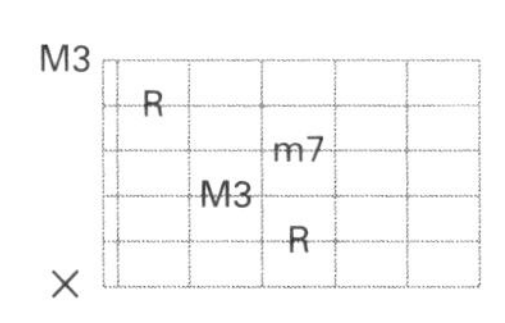

セブンス・コードはコード進行上でドミナント機能を持っているので、ドミナント・セブンスとも呼ばれる（→P.57『主要3和音』）。

マイナー・セブンス　表記：Cm7

マイナー・トライアドに短７度を加えたコード。コード・ネームのmはマイナー・トライアドのマイナー、数字の７は短７度を表わしている。

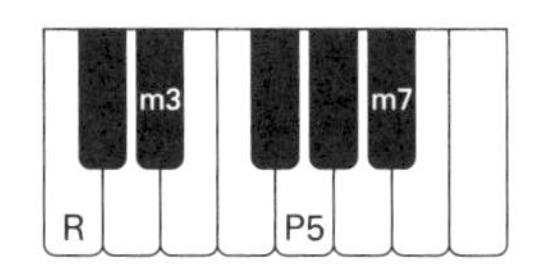

コード・トーン ➡ R、m3、P5、m7

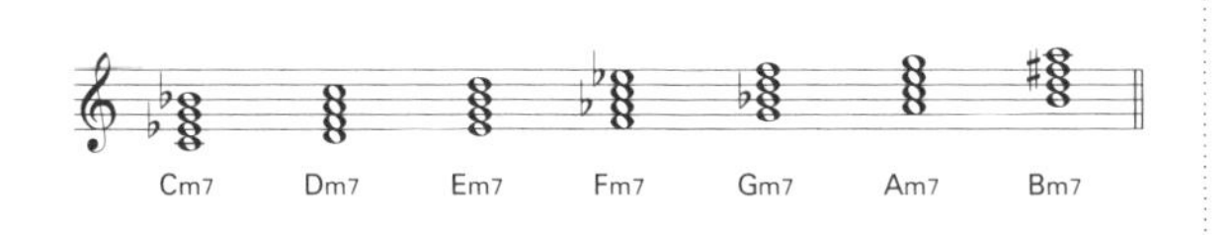

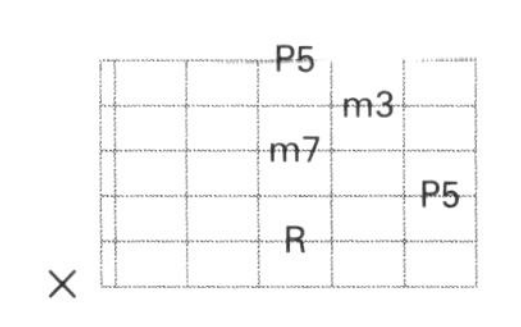

コード・ネームで付加和音を表わす数字の6が長6度なのに対し、数字の7は短7度なので注意。

メジャー・セブンス

表記：CM7

メジャー・トライアドに長7度を加えたコード。コード・ネームのM7は長7度を表わしている。

コード・トーン ➡ R、M3、P5、M7

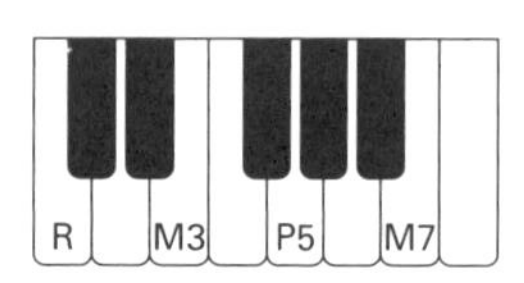

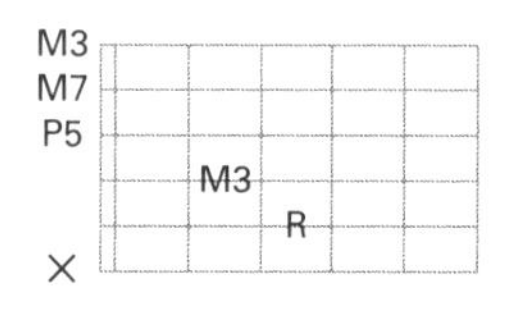

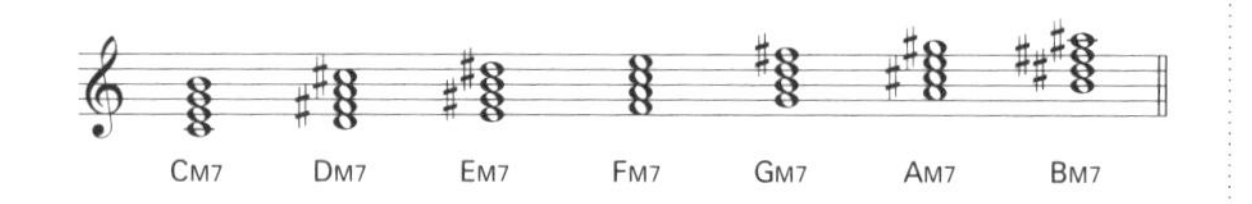

マイナー・メジャー・セブンス

表記：CmM7

マイナー・トライアドに長7度を加えたコード。コード・ネームのmはマイナー・トライアドのマイナー、M7は長7度を表わしている。

コード・トーン ➡ R、m3、P5、M7

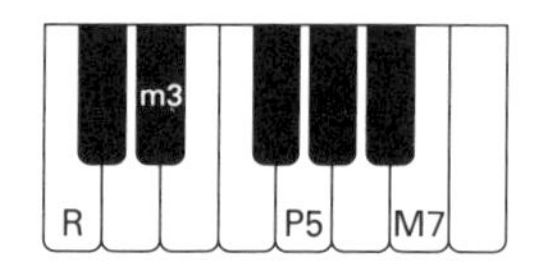

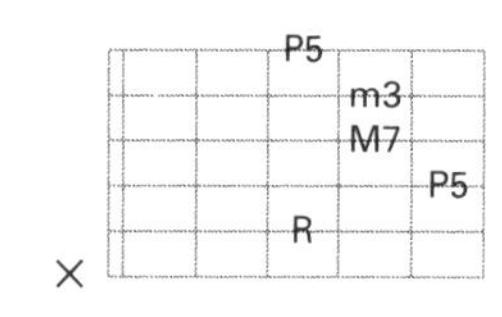

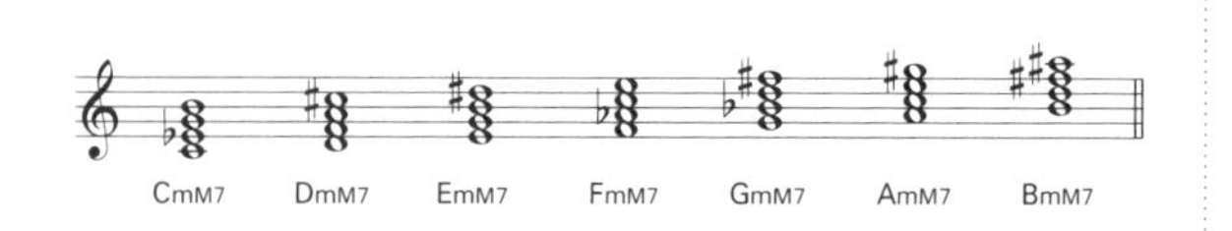

コード・ネームの7度は短7度＝7、長7度＝M7になる。M7は「△7」と表記されることも多い。

マイナー・セブンス・フラット・ファイブ 表記：Cm7♭5

マイナー・セブンス・コードの完全5度を半音下の減5度にしたコード。減5度は「♭5」と表記する。ディミニッシュ・トライアドに短7度を加えた形ともとれるので、別名「ハーフ・ディミニッシュ」とも呼ばれる。

コード・トーン ➡ R、m3、dim5、m7

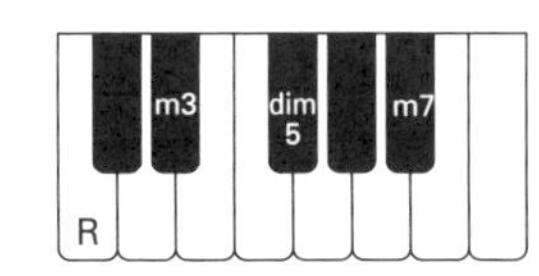

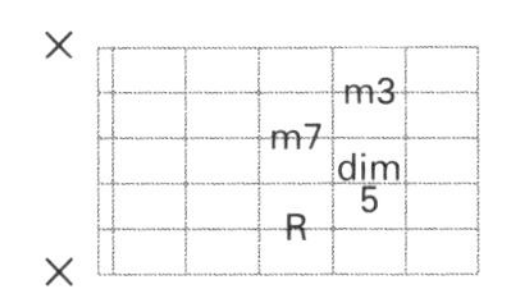

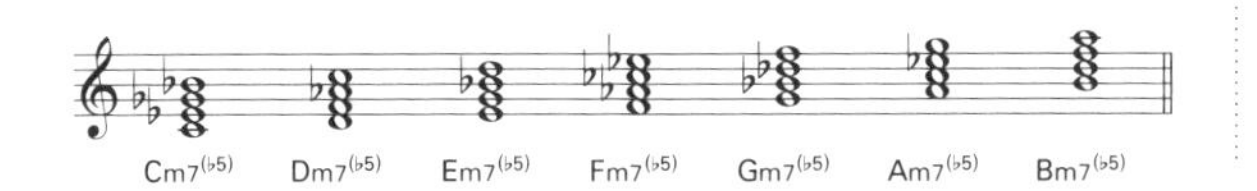

メジャー・セブンス・シャープ・ファイブ 表記：CM7♯5

メジャー・セブンス・コードの完全5度を半音上の増5度にしたコード。増5度は「♯5」と表記する。

コード・トーン ➡ R、M3、aug5、M7

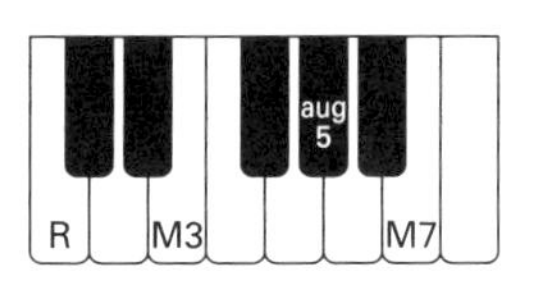

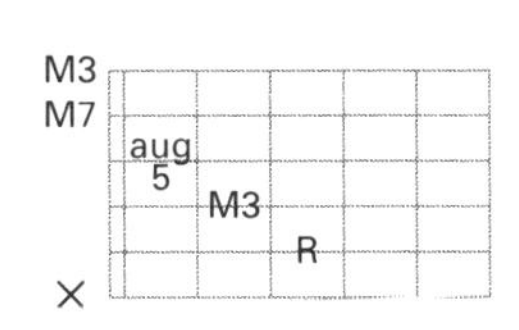

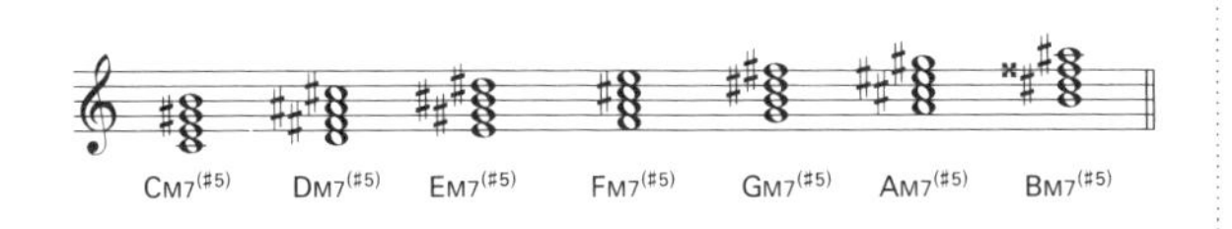

減5度を表わす「♭5」は「-5」、増5度を表わす「♯5」は「+5」と表記されることも多い。

ディミニッシュ・セブン　表記：Cdim7

ディミニッシュ・トライアドに減7度（短7度の半音下）を加えたコード。短3度ずつ積み上げた等音程和音（次項参照）。正しくはdim7と表記するが、一般的にはdimのみでトライアドに減7度を加えたコードを示すことが多い。

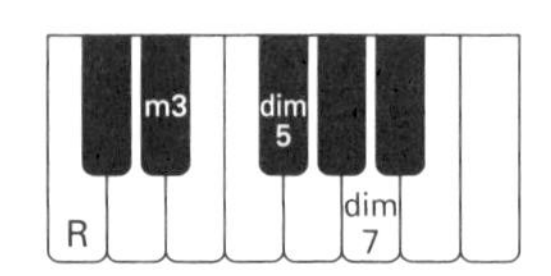

コード・トーン ➡ R、m3、dim5、dim7

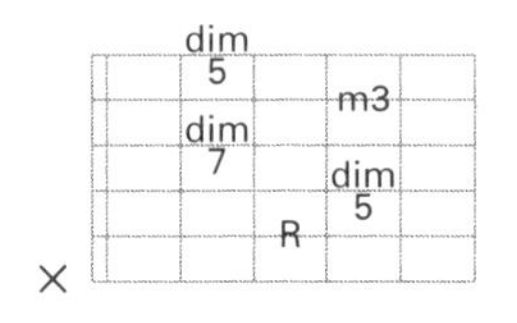

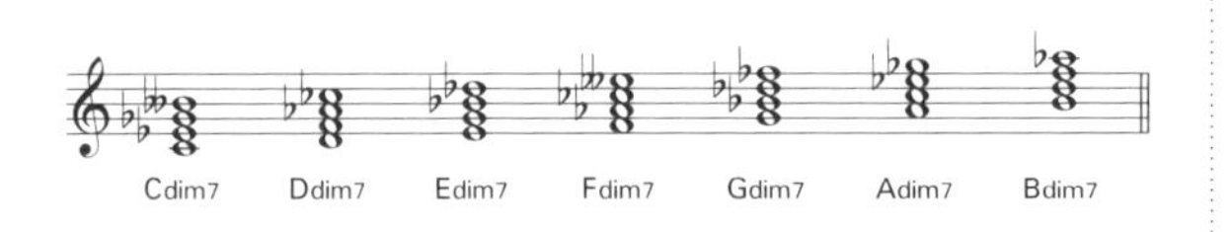

等音程和音

ディミニッシュ・セブンは短3度ずつ、オーギュメントは長3度ずつの音程を積み上げたコードで、**等音程和音**と呼ばれる。等音程和音は、最低音を順にオクターブ上に転回させると、同じ構成音でルート音の違うコードができ上がる。構成音によって、以下のようなグループに分けられる。

・ディミニッシュ・コード

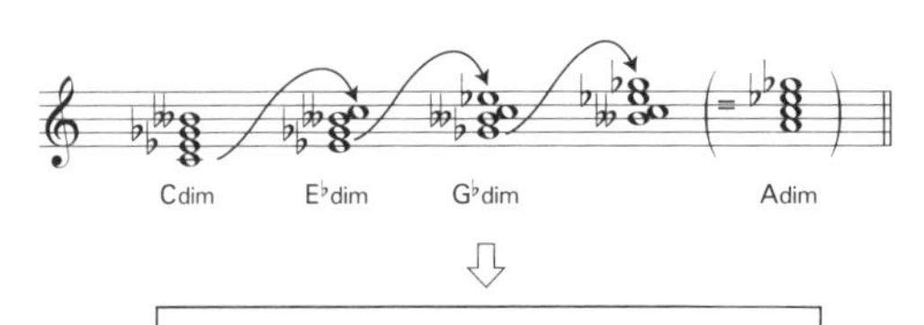

⇩

Cdim≒D♯dim or E♭dim≒F♯dim or G♭dim≒Adim
C♯dim or D♭dim≒Edim≒Gdim≒A♯dim or B♭dim
Ddim≒Fdim≒G♯dim or A♭dim≒Bdim

・オーギュメント・コード

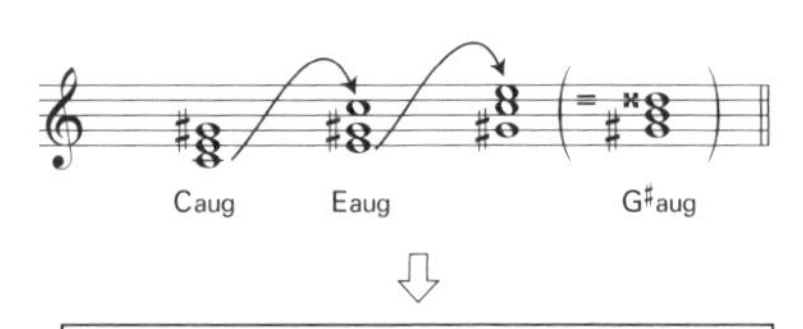

⇩

Caug≒Eaug≒G♯aug or A♭aug
C♯aug or D♭aug≒Faug≒Aaug
Daug≒F♯aug or G♭aug≒A♯aug or B♭aug
D♯aug or E♭aug≒Gaug≒Baug

3-4 テンション・コード

4音でできたコード(6、7、M7などが付いたコード)に9度以上の複音程を積み上げたコードをテンション・コードという。

テンション・ノート

テンション・コードに付加される9度以上の音を**テンション・ノート**という。テンション・ノートとして使われるのは複音程のうち9、11、13度(2、4、6度のオクターブ上)。10、12、14度(3、5、7度のオクターブ上)はコード・トーンとなるので、テンションに相当しない。

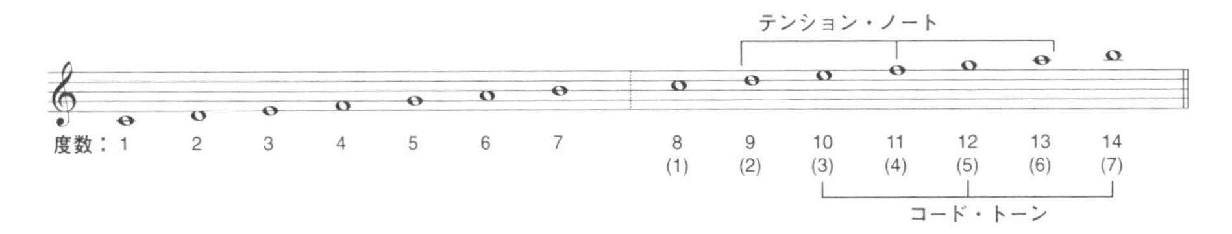

テンションの名称

♯や♭の付かない9、11、13度を**ナチュラル・テンション**、♯や♭の付いたテンション・ノートは**オルタード・テンション**と呼ぶ。

テンション・ノートは元のコード・トーンに含まれない音になるので、コードの種類によって使えるテンション・ノートは限られる。

メジャー・セブンスのテンション

メジャー・セブンスのテンションには9thと♯11thが用いられる。CM7(9)は単にCM9とも表記される。

コード・トーン ➡ R、M3、P5、M7
テンション・ノート ➡ 9、♯11

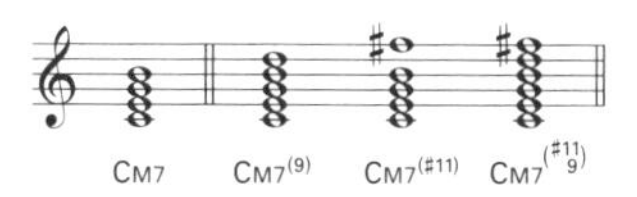

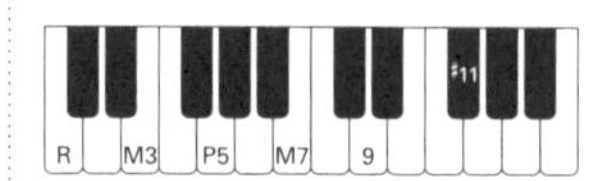

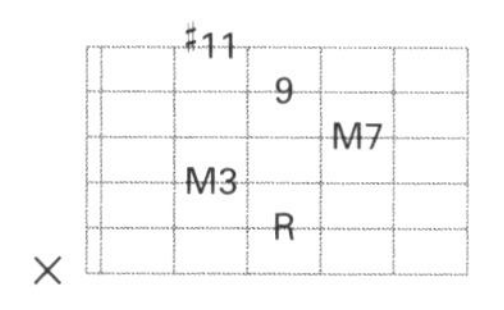

マイナー・セブンスのテンション

マイナー・セブンスのテンションには9thと11thが用いられる。Cm7(9)は単にCm9とも表記される。

コード・トーン ➡ R、m3、P5、m7
テンション・ノート ➡ 9、11

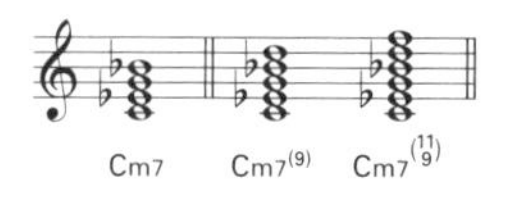

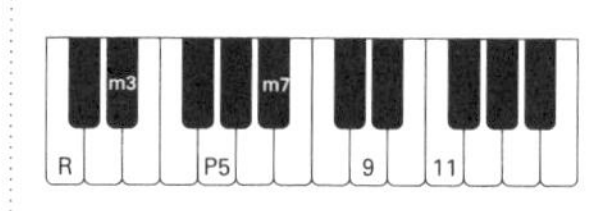

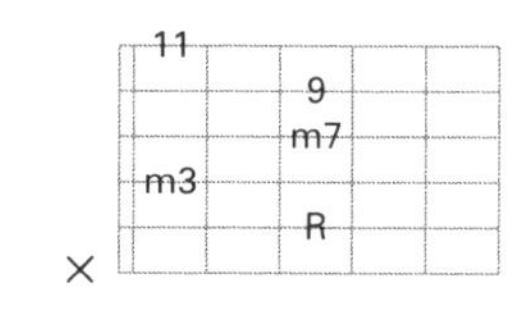

セブンスのテンション

♭9th、9th、♯9th、♯11th、13th、♭13thが用いられる。C7(9)は単にC9とも表記される。

コード・トーン ➡ R、M3、P5、m7
テンション・ノート ➡ ♭9、9、♯9、♯11、13、♭13

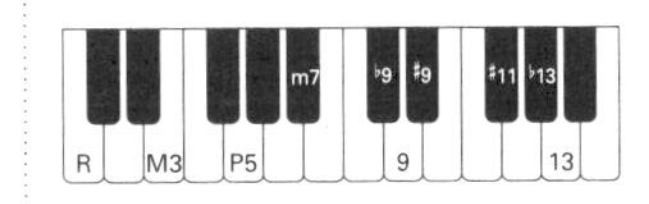

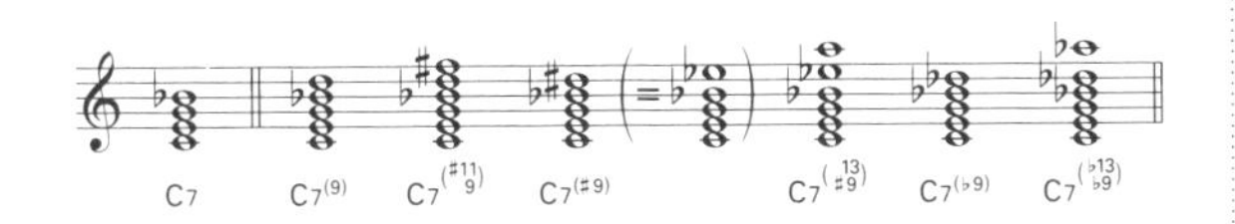

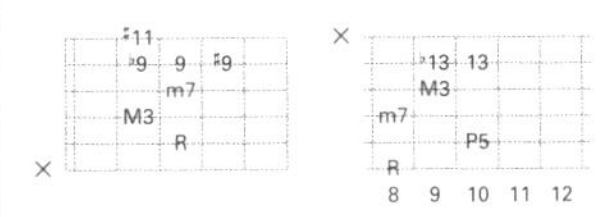

同じセクションのテンション（♭9と♯9など）は同時には使えない。また、♭9thと♯9thはセブンス・コードのみに限られる。♯9thは9thの増音程だが、習慣的に短3度で記譜される。

ディミニッシュのテンション

ディミニッシュは9th、11th、♭13thが用いられる。ただし、異名同音の複雑さからテンションを表記してもわかりにくいため「add＋音名」を後ろに付けて、音名を直接記すことが多い。addとは「additional＝付け加えられた」の意味。

コード・トーン ➡ R、m3、dim5、dim7
テンション・ノート ➡ 9、11、♭13

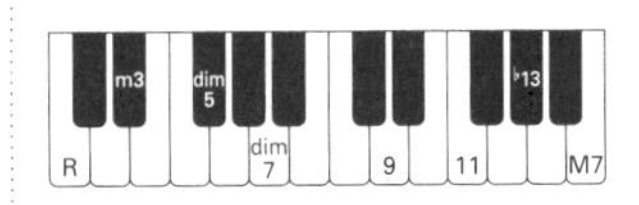

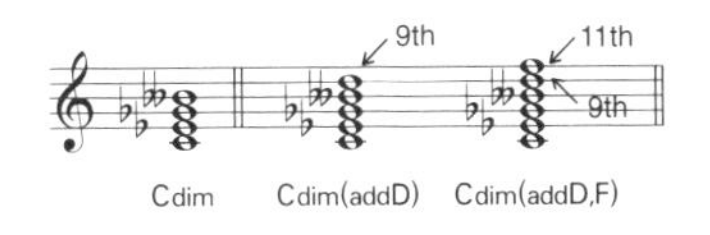

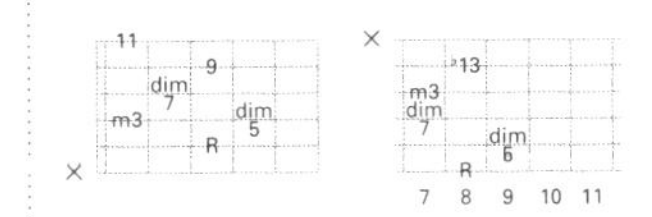

ディミニッシュはM7もテンションとして考えられる場合がある。

シックスのテンション

シックス・コードのテンションは9thのみ。

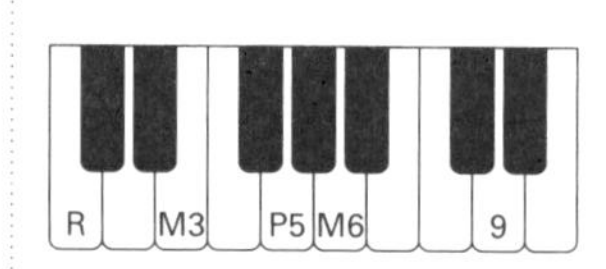

コード・トーン ➡ R、M3、P5、M6
テンション・ノート ➡ 9

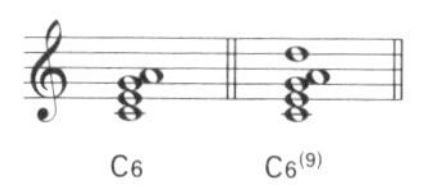

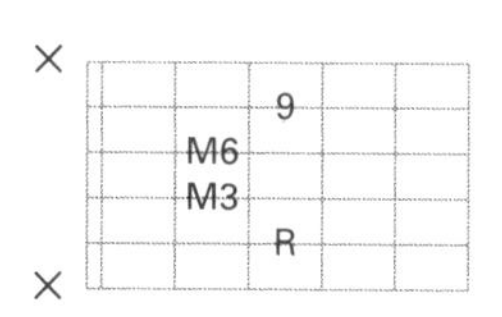

マイナー・シックスのテンション

シックス・コードと同じく、テンションは9thのみ。

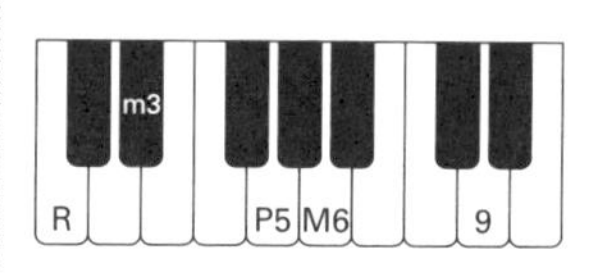

コード・トーン ➡ R、m3、P5、M6
テンション・ノート ➡ 9

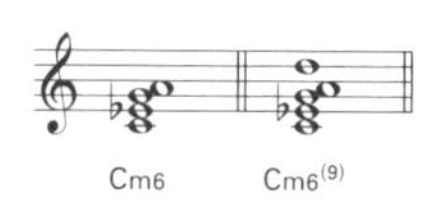

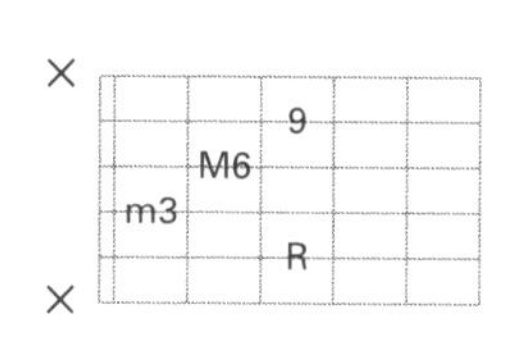

3-5　その他のコード

サス・フォー

表記：Csus4

メジャー・トライアドの長３度を完全４度にしたコード。susとは「suspended＝掛留（不協和な緊張状態）された」の意味。単独で使われることもあるが、一般的には同じルートのメジャー・トライアドに進行する。

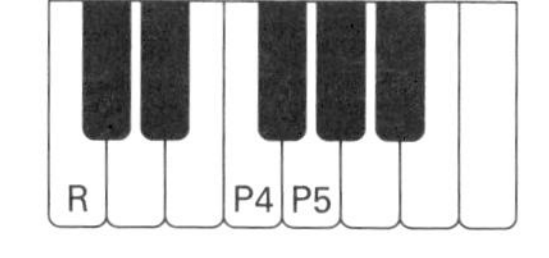

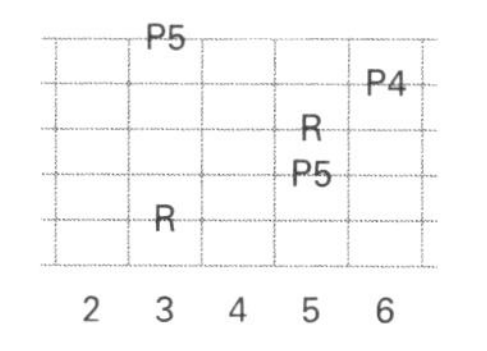

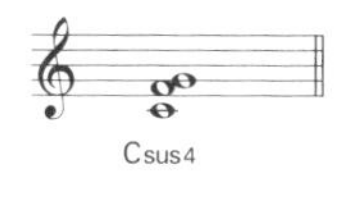

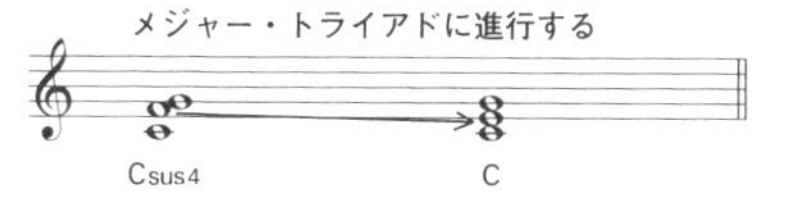

アド・コード

表記：Cadd9

トライアドにテンション・ノートを加えるときは「add＋テンション・ノート」の表記をする。addとは「additional＝付け加えられた」の意味。使用頻度が高いコードにアド・ナインス（add9）がある。add9はオクターブ下げたadd2と表記することもある。

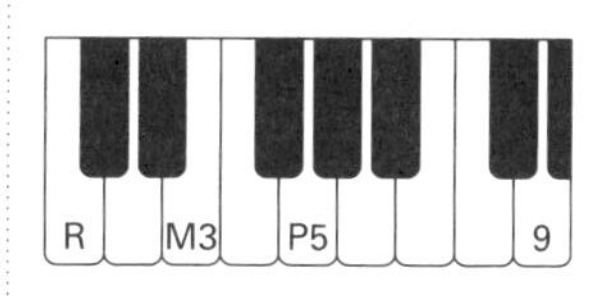

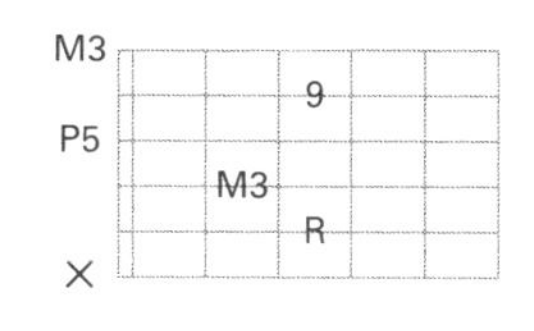

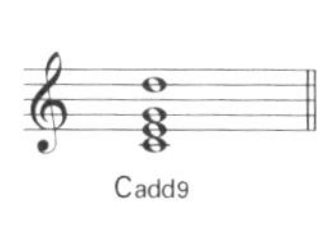

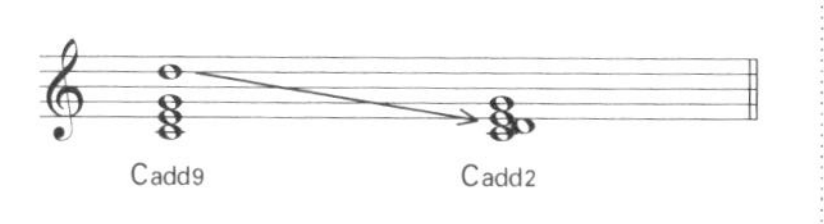

テンション・ノートは基本的に４音以上のコードに付加されるため、トライアドでは「add＋テンション・ノート」の表記をする。

オン・コード

表記：C/G、ConG

コードのベース音(一番低い音)をルート音以外の音に指定するときは「コード／指定ベース音」や「コードon指定ベース音」の表記をする。

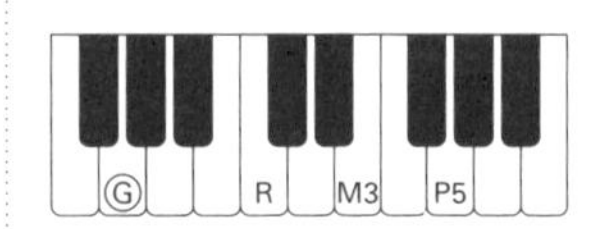

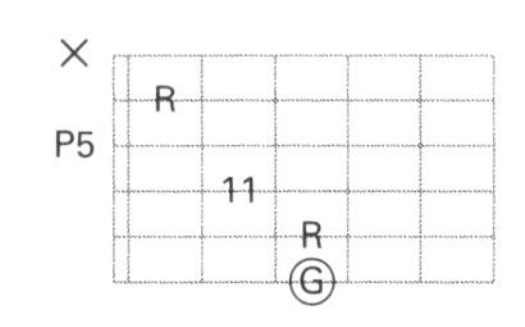

オミット

表記：Comit3

コード・トーンを省略するときは「コードomit省略する音」の表記する。omit3はロックギターでパワー・コードと呼ばれる、3度を省略したコード。

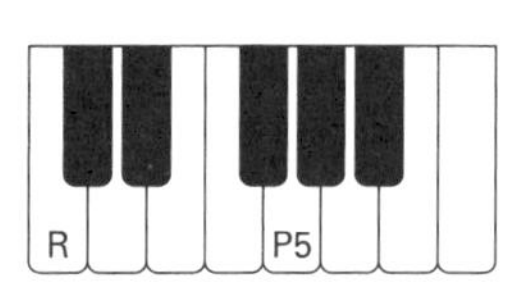

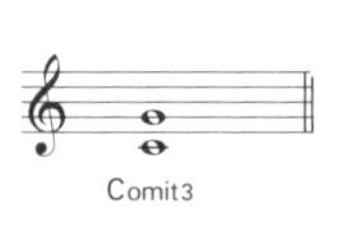

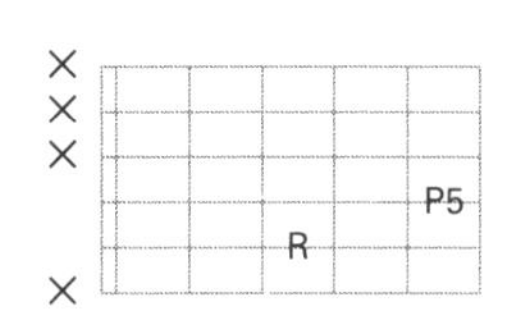

3-6 コード・アレンジ

コードの基本形と転回形

ルート音をコードの最低音に配置したものを**基本形**、ルート音以外のコード・トーンを最低音に配置したものを**転回形**という。トライアドでは2種類、4音のコードでは3種類の転回形がある。

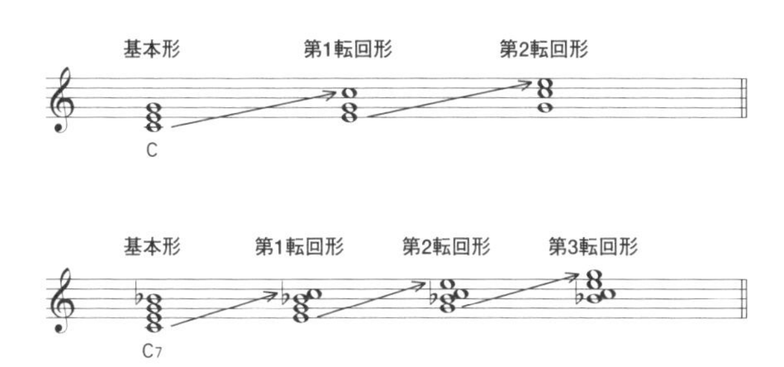

譜例では最低音をオクターブ転回させているが、最低音が3度なら第1転回形、5度なら第2転回形、6度あるいは7度なら第3転回形となり、最低音以外の配置に決まりはない。

クローズとオープン

コード・トーンがオクターブ内に密集しているものを**クローズ・ポジション**（またはクローズ・ヴォイシング）、コード・トーンの最低音と最高音がオクターブ以上離れているものを**オープン・ポジション**（またはオープン・ヴォイシング）という。

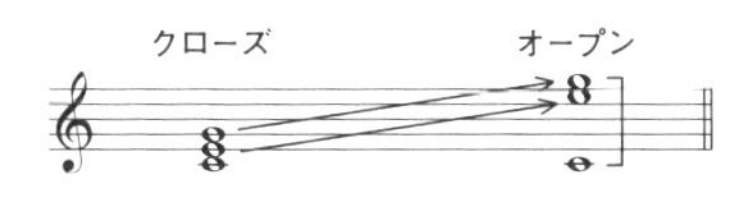

最低音と最高音が
オクターブ以上離れている

オープン・ポジションは、鍵盤では必然的に両手のフォームになる。ギターの場合は楽器の構造上、オープン・ポジションをとることが多い。

ロー・インターバル・リミット

クローズ・ポジションのコードは、低い音域になると響きがにごる(図a)。響きがにごり始める限界のポイントを**ロー・インターバル・リミット**といい、使用下限は音程によって異なる。図bは各種音程のロー・インターバル・リミットで、それぞれこれよりも低い音域では弾かないようにする。図cは図bの音程を有する具体的なコードの一覧。

・a 低音域のクローズ・ポジション

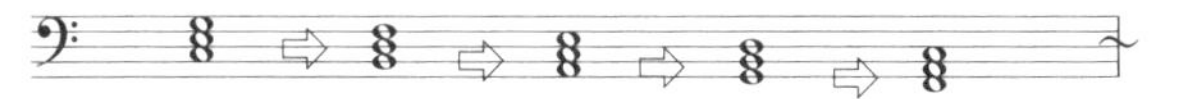

クローズ・ポジションは音域が低くなるほど響きがにごる

・b ロー・インターバル・リミット

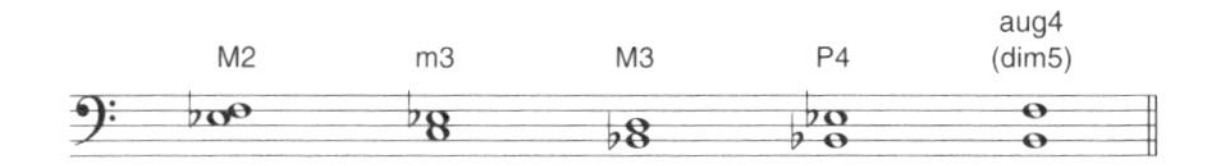

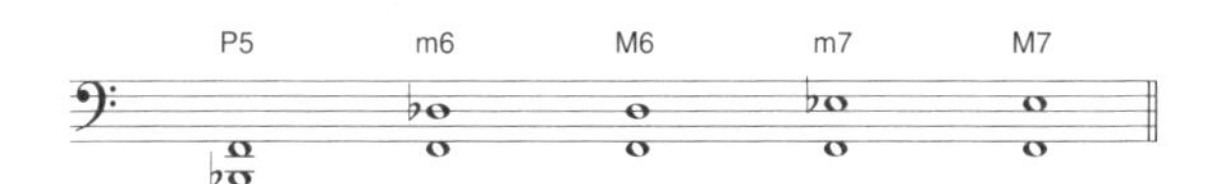

・c コードの使用下限

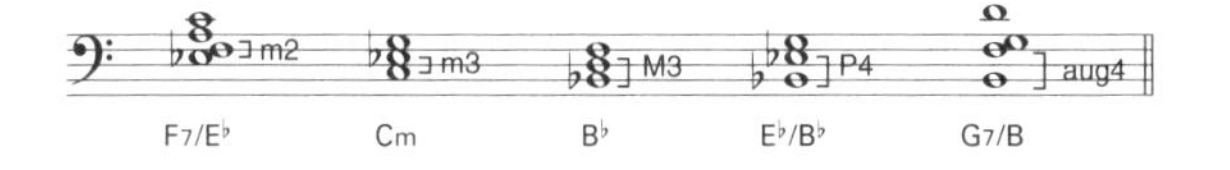

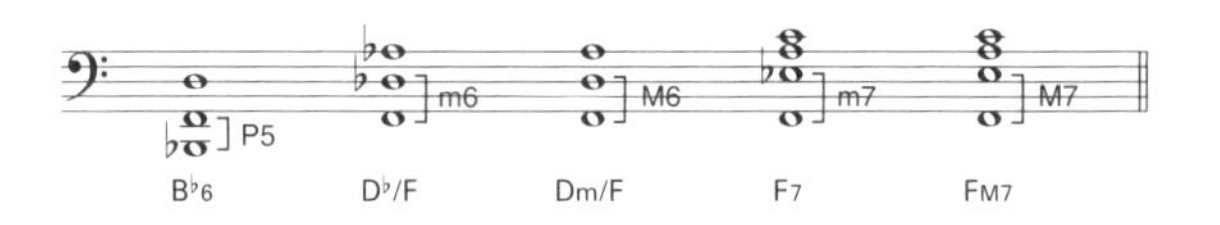

ロー・インターバル・リミットは広い音程の方が比較的低い音域まで使える。

コードの連結

実際のコードの動きは、コードの基本形を連結しただけでは演奏に適さないため、トップ·ノート(コードの配置の最高音)の動きを決め、転回形を使ってなるべく同じ高さにまとめることを考える(図a)。さらに、トップ·ノートとベース·ラインとの動きを考えるときは、斜行または反行を心掛けるようにする(図b)。斜行とは、一方が同じ高さにとどまる場合に他方が上行または下行する動きのこと。反行とは、一方が上行したら他方は下行、一方が下行したら他方は上行する動きのこと。

・a 転回形の連結

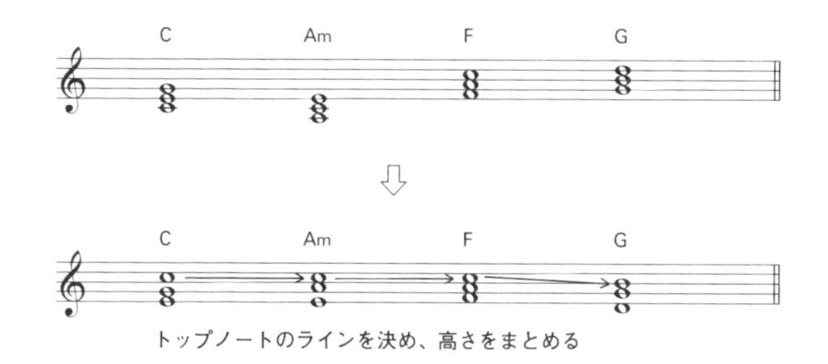

・b 斜行と反行

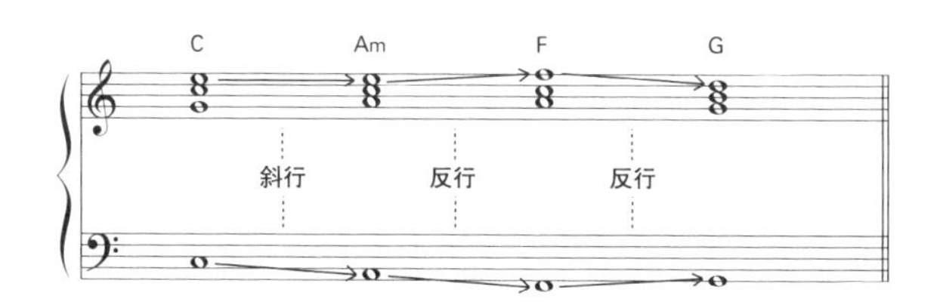

3 コードとコード・ネーム

音の重複と省略

複数のコード楽器、鍵盤の両手のヴォイシング等で、コード・トーンの重複と省略を考える場合は、トライアドではルートと5thは重複可能、3rdは不用意に重複したり省略したりしないようにする(図a)。セブンス・コードで音を省略する場合は、3rdと7thを残し、5thを省略する(図b)。ベース音に転回形の3rdや5th、7thがくる場合は、前後の音を不用意に跳躍させず、同じにするか順次進行した方が良い(図c)。

・a トライアドの重複と省略

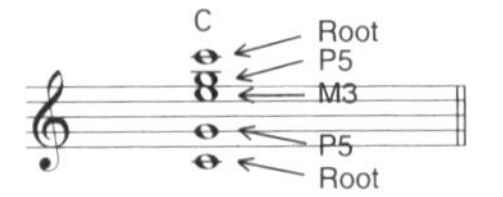

・b セブンス・コードの重複と省略

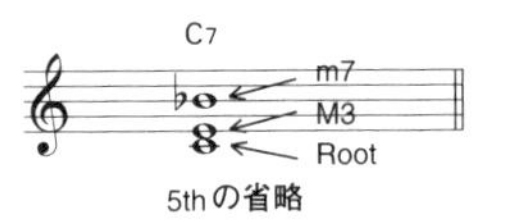

・c 転回形ベース音の連結

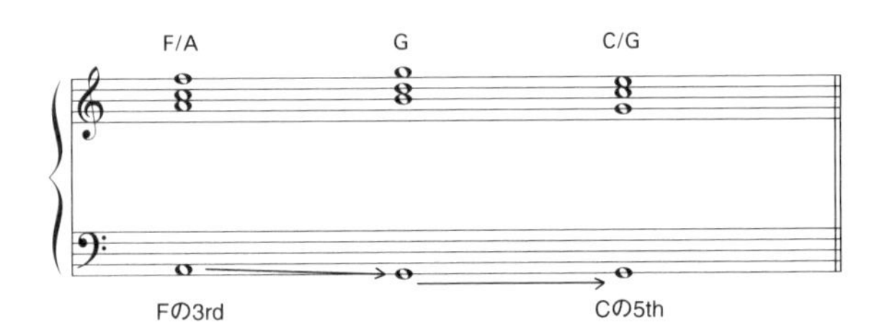

キーとコード進行

4-1 調性と調

調性、調とは？

どんな音楽にも「全体のまとまりを感じさせる出発点・終点になる音」があり、これを**主音**（トニック）という。この主音を中心とした音組織を**調性**（トーナリティ）といい、調性の種類と高さを表わしたものを**調**（キー）という。

調には**長調**（メジャー・キー）と**短調**（マイナー・キー）の区別があり、調の構成音を主音から1オクターブ並べた**音階**（スケール）によって判断する。長調を表わす音階を**長音階**（メジャー・スケール）、短調を表わす音階を**短音階**（マイナー・スケール）と呼ぶ。両スケールとも半音音階上の12音のうち、どの音を主音とするかによって、調の高さが決定される。

長音階（メジャー・スケール）

長音階（メジャー・スケール）はいわゆる「ドレミファソラシド」の音階のことで、全音・全音・半音・全音・全音・全音・半音という音程の並びが長音階の特徴である。Cが主音ならCメジャー・スケールとなる。スケール上の各音には便宜上、トニックをⅠとし順にローマ数字で表わす。これをディグリー表記という。

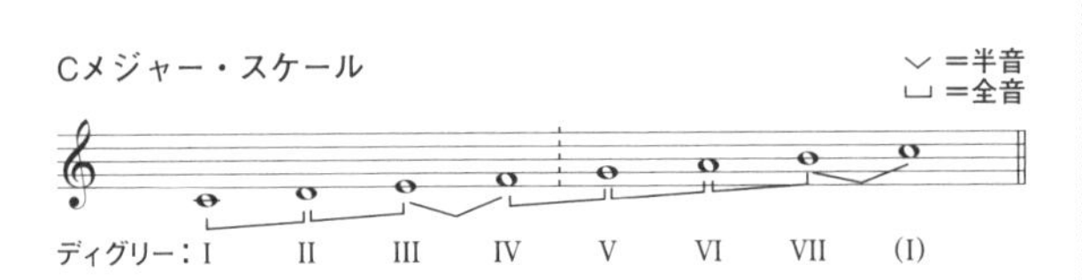

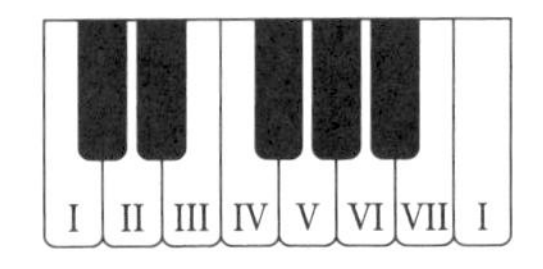

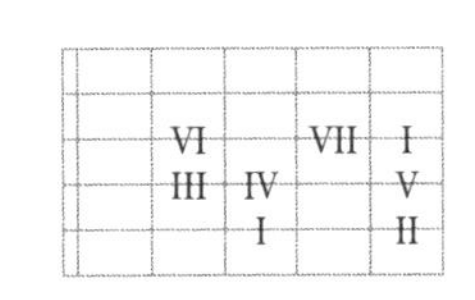

長音階は前半と後半に4音ずつわけると全音と半音の並びが左右対象になる。これをテトラ・コードという。

短音階（マイナー・スケール）

短音階（マイナー・スケール）は３種類ある。長音階のVI音から並べ直したものを**自然的短音階**（ナチュラル・マイナー・スケール）、自然的短音階のVII音を半音上にしたものを**和声的短音階**（ハーモニック・マイナー・スケール）、自然的短音階のVI音とVII音を半音上にしたものを**旋律的短音階**（メロディック・マイナー・スケール）という。

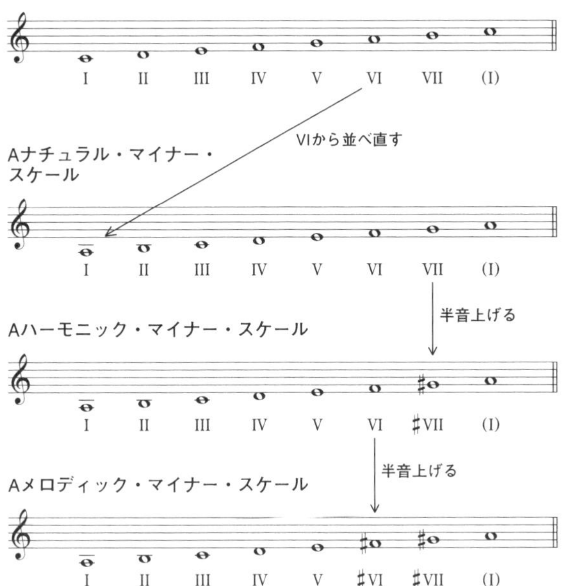

ナチュラル・マイナー・スケール

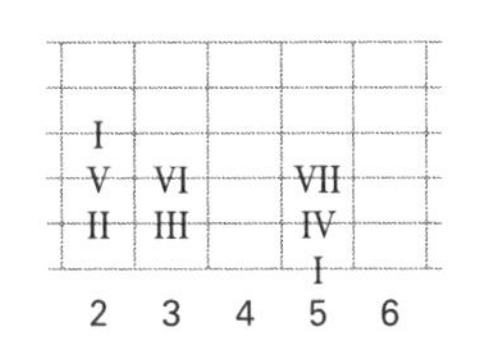

ハーモニック・マイナー・スケール

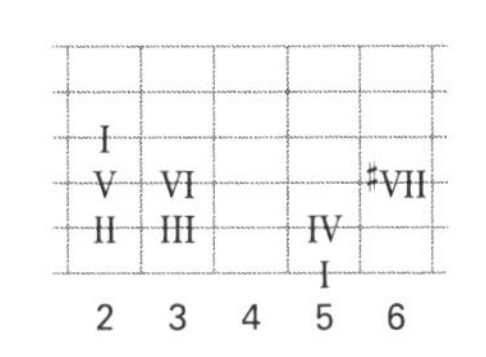

メロディック・マイナー・スケール

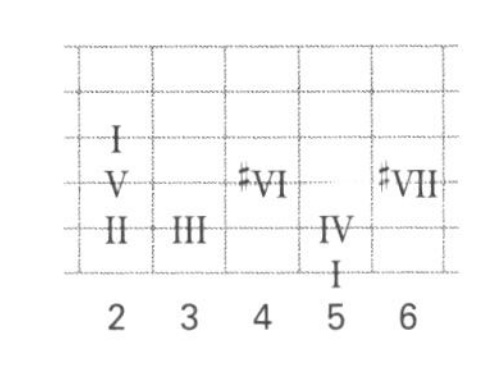

自然的短音階、和声的短音階は上行・下行できるが、旋律的短音階は下行すると流れが美しくないため、上行型のみとされている。

4 キーとコード進行

調号

幹音のみで構成されるCメジャー･スケール(Aをトニックとした各マイナー･スケール)を除く全ての調(キー)では、音階上の配列によって♯や♭が必要になる。この♯や♭を五線の左(音部記号の右)にまとめたものを**調号**と呼び、Cメジャー･スケールの後半のテトラ･コードのV音を新たなIとするとVII音に♯、前半のテトラ･コードのIV音を新たなI音にするとIV音に♭の調号が一つずつ増える。

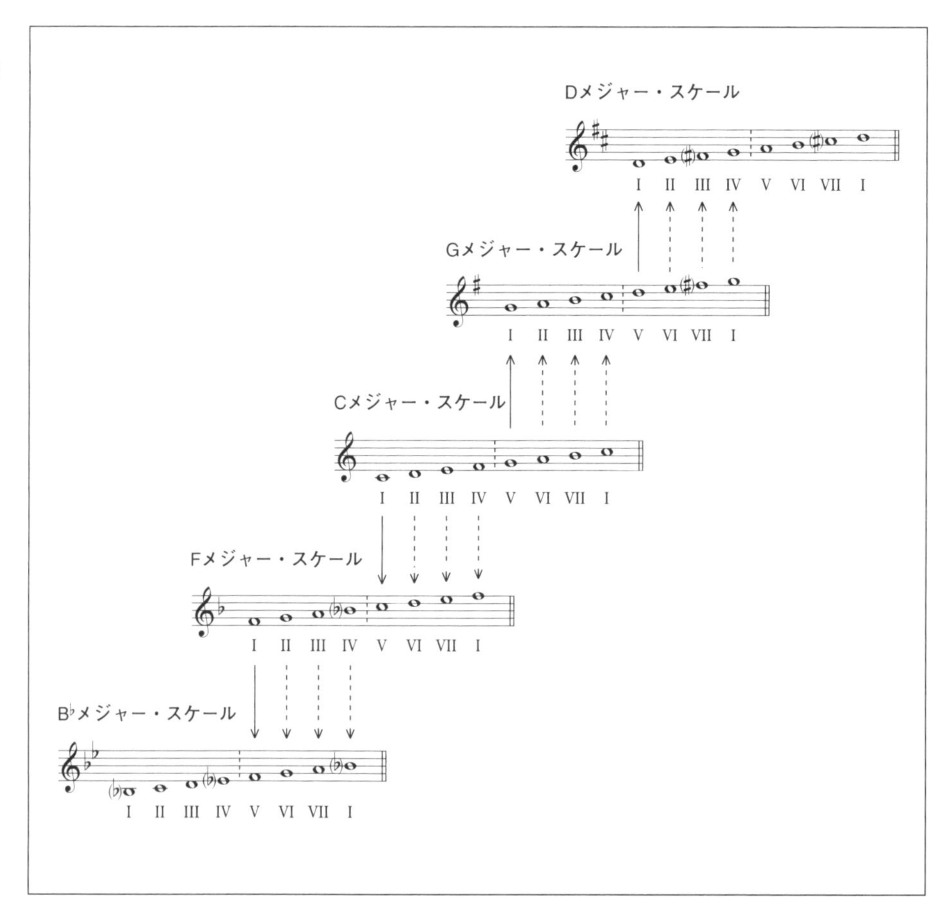

マイナー・スケールは、各メジャー・スケールのVI音から並べ直す。

調号の順番と調の判定

調号は全ての幹音に♯または♭が付いた7つで打止めになる(図b)。付く順番は♯系が「ファ→ド→ソ→レ→ラ→ミ→シ」、♭系が「シ→ミ→ラ→レ→ソ→ド→ファ」となるが、これは暗記しておくと便利。調号から調を判定する場合は、♯系はVII音に♯が付くので最後の♯の半音上がI音になる。ただし、半音上の音がすでに調号で使われているときは、♯の付いた音になるので注意。♭系はIV音に♭が付くのでその完全4度下がI音となるが、言い換えれば一つ前の調号のIV音にあたるので、一つ前の調号をI音と考えれば良い(図a)。

・a 調の判定方法

・b 調号

・♯系統「ファ-ド-ソ-レ-ラ-ミ-シ」

・♭系統「シ-ミ-ラ-レ-ソ-ド-ファ」

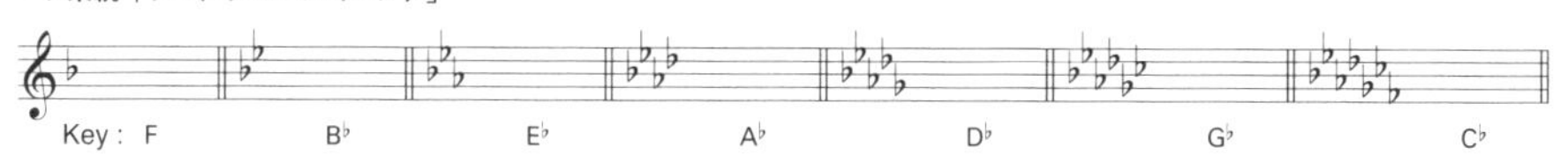

調号の効力

調号は、オクターブ関係の音も含めた全ての同音に有効。つまり、♯・♭が付いている音は高さに関係なくすべて派生音となる。曲中で元の幹音に戻すときは一時的にナチュラルを付け足す。

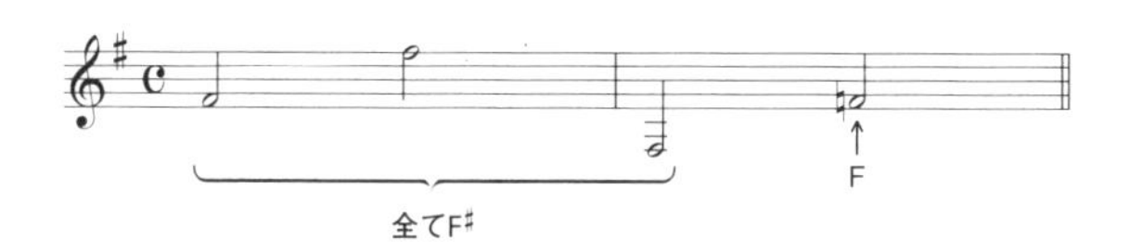

平行調一覧

調号が同じ長調と短調を**平行調**と呼ぶ。

・♯系の平行調

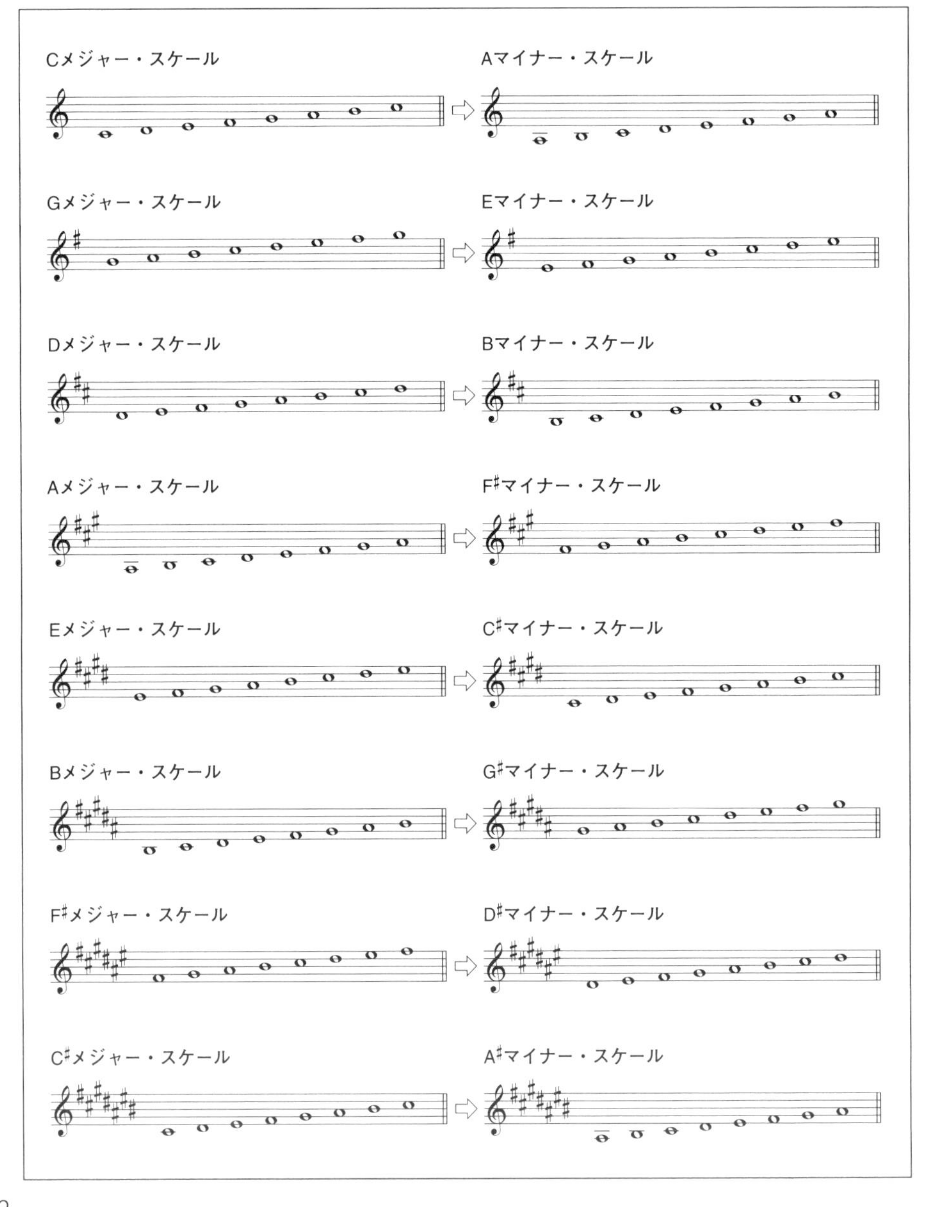

・♭系の平行調

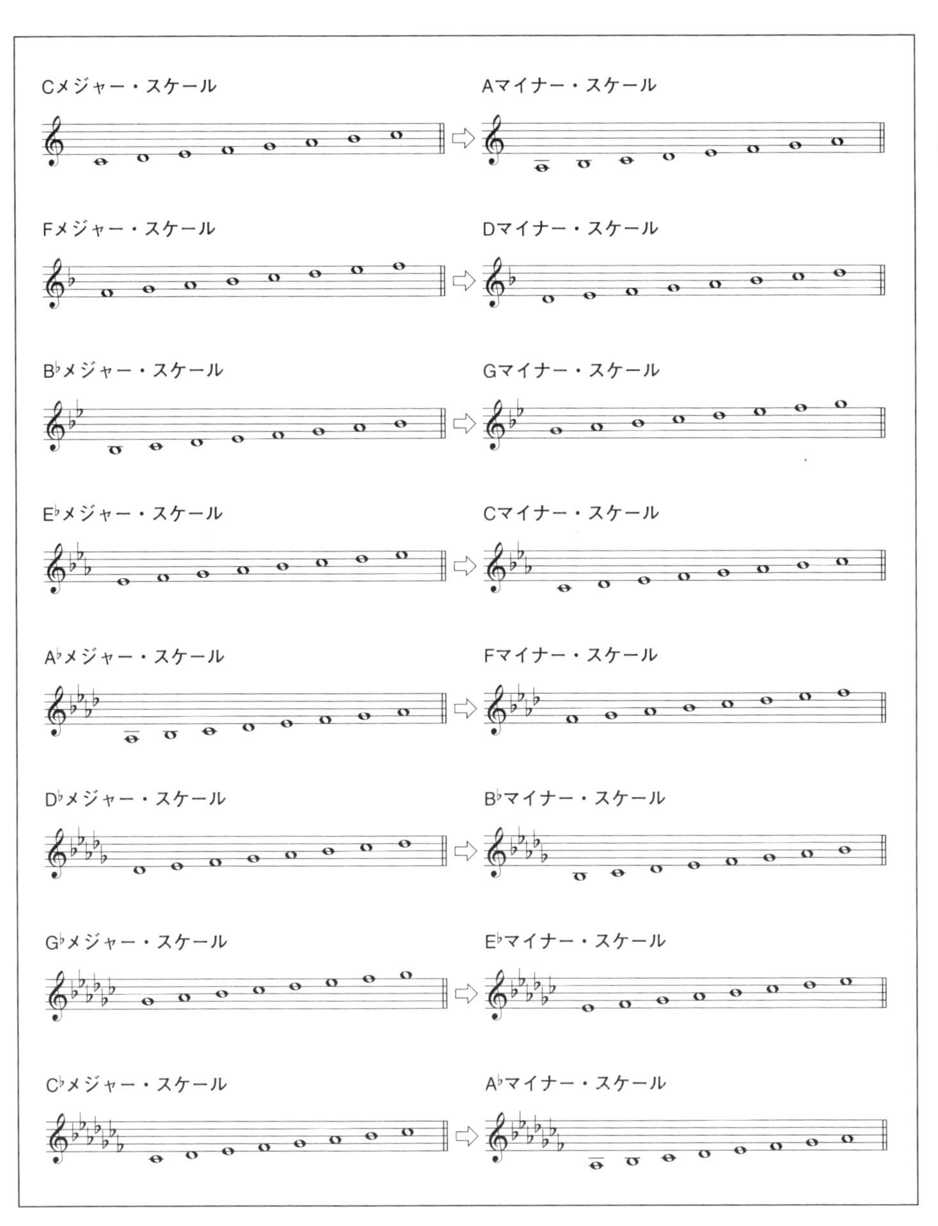

D♭、G♭、C♭の3つの長調は、それぞれC♯、F♯、Bの長調と主音が異名同音になる。この関係を異名同調という。各平行短調も同様。

同主調一覧

主音が同じ長調と短調を**同主調**と呼ぶ。

・♯系の同主調

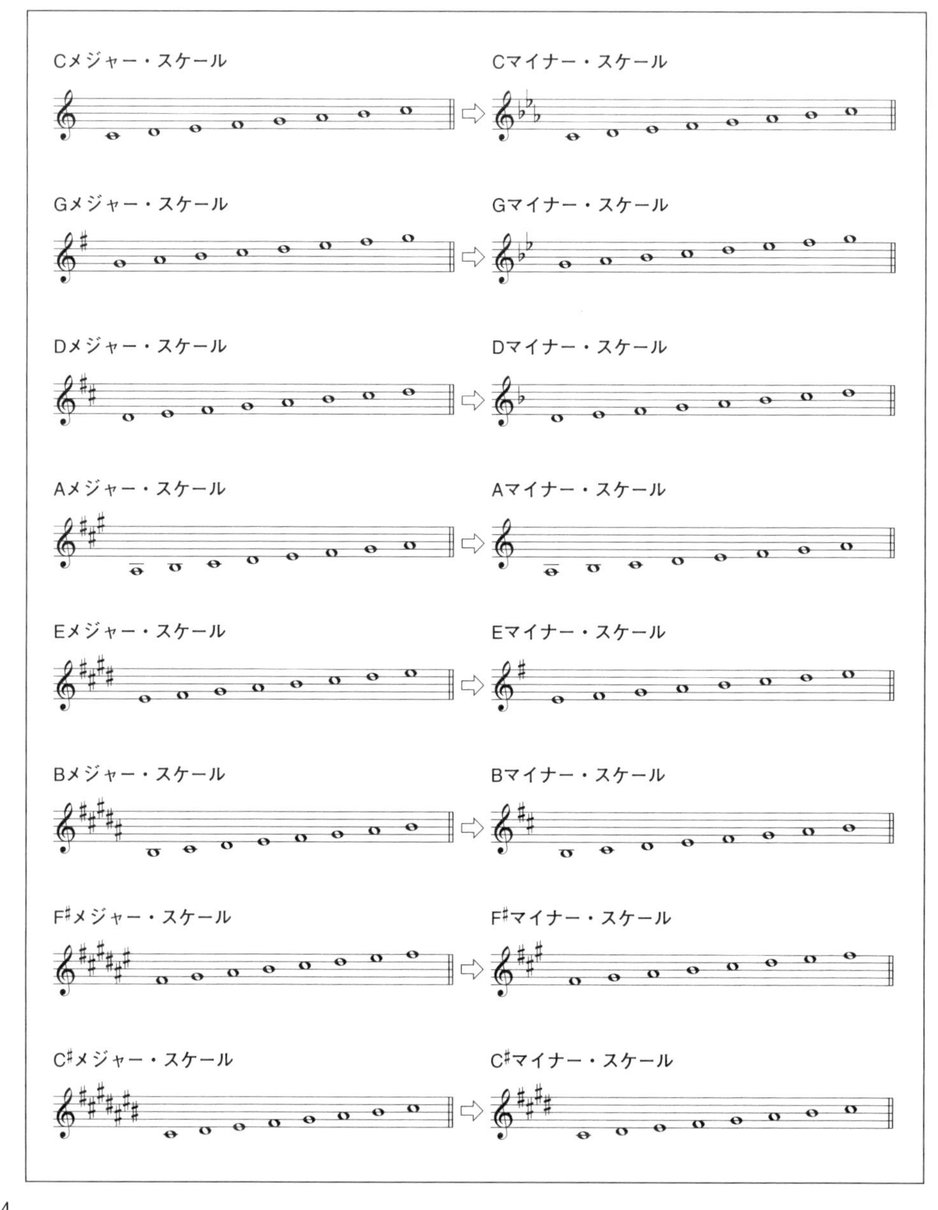

・♭系の同主調

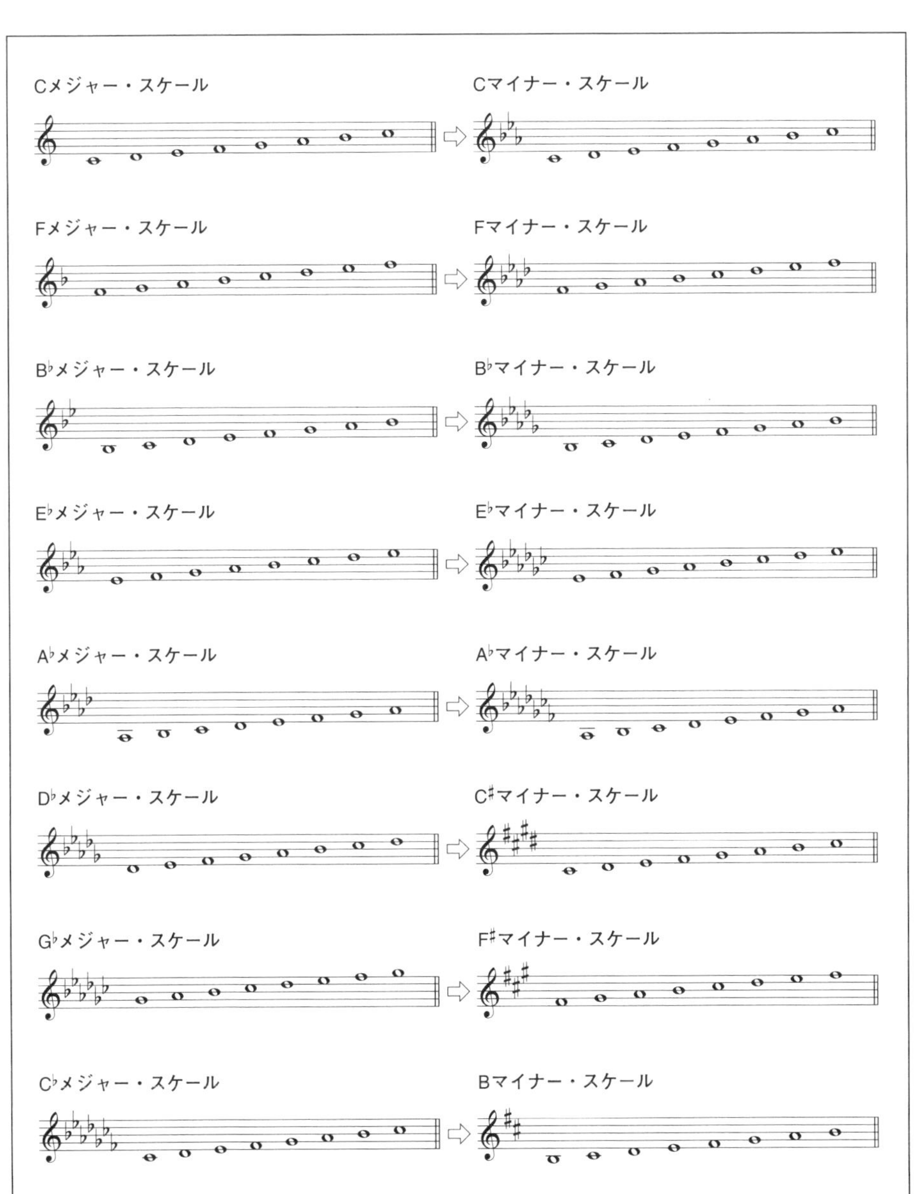

調号は7つ以上付けることができないため、D♭、G♭、C♭の3つの長調の同主短調は実質上存在しない。そのため、異名同調の各短調で示す。

4-2 コードの機能

ダイアトニック・コード

長音階または短音階上の各音をルートとし、音階上の音を３度堆積で３音または４音積み上げてできるコードを**ダイアトニック・コード**という。ダイアトニック・コードはその調（キー）でできた曲に自然に使えるコードとなり、各コードはディグリー表記で示す。※下は４音のコードで示しているため全てセブンス系コードとなっているが、トライアドのダイアトニック・コードならＩやIImの表記になる。

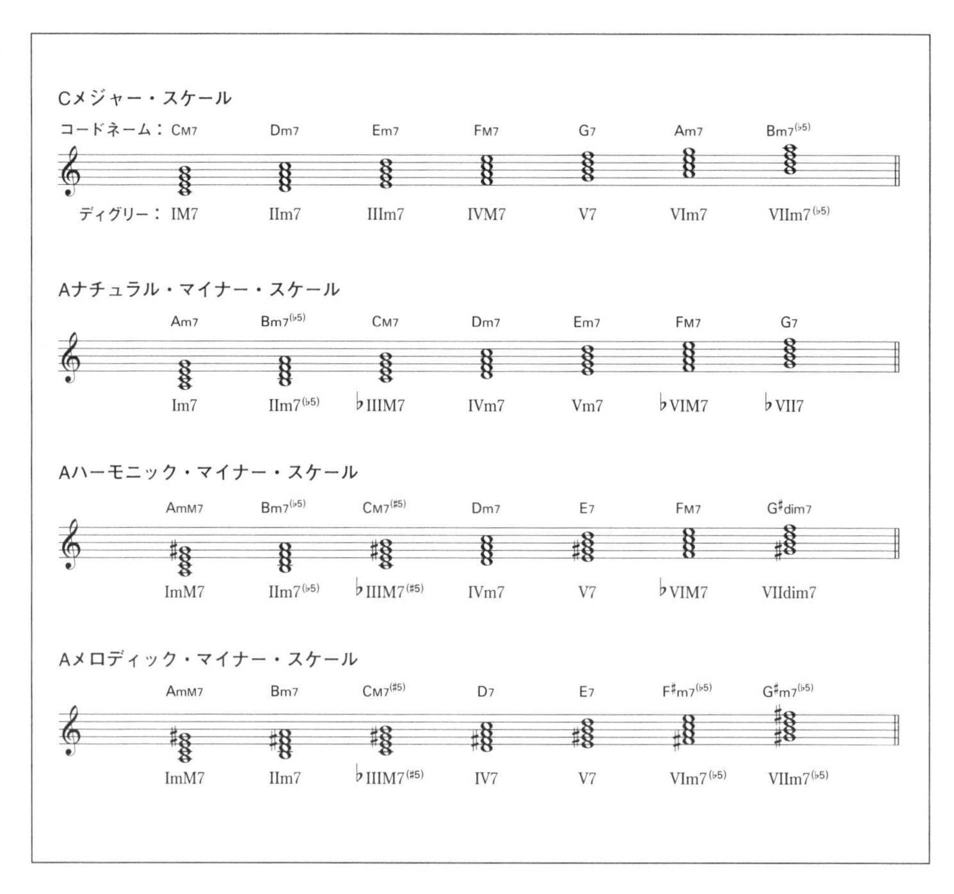

ダイアトニック上に存在しないコードはノン・ダイアトニック・コードという。

主要３和音

音階上にできる７つのダイアトニック・コードのうち、I を**トニック**、V を**ドミナント**、IV を**サブドミナント**といい、これらを合わせて**主要３和音**（スリー・コード）という(図 a)。トニックは落ち着いたコード、ドミナントはトニックに進みたがるコード、サブドミナントはトニックとドミナントのどちらにも進みたがるコードの性質を持っている（図 b)。

・a C メジャー・ダイアトニックの主要３和音

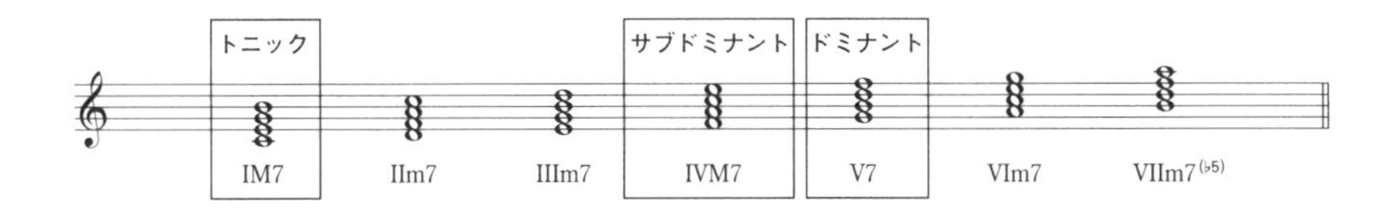

・b 主要３和音の進行

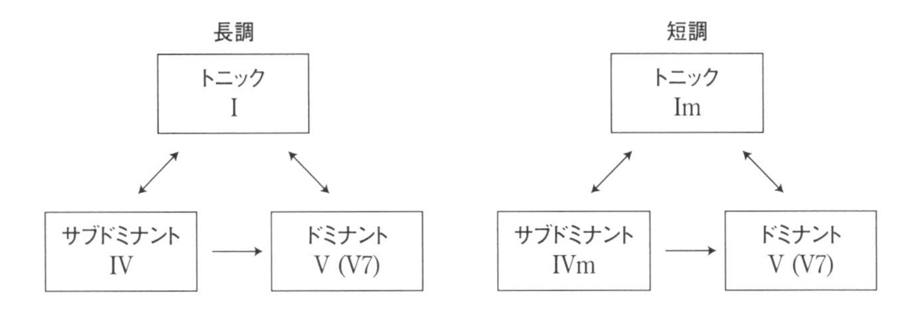

ドミナントは基本的に長調も短調もセブンス・コードが使われるため、セブンス・コードはドミナント・セブンス（V7）とも呼ばれる。

代理コード

主要３和音以外のダイアトニック・コードは、I（トニック）、IV（サブドミナント）、V（ドミナント）と構成音の近いもののいずれかに、代理コードとして振分けられる。

ダイアトニック・コードの分類

調	機　能	コード	代理コード
メジャー・スケール	トニック	IM7	IIIm7、VIm7
	サブドミナント	IVM7	IIm7（VIm7）
	ドミナント	V7	VIIm7(♭5)
ナチュラル マイナー・スケール	トニック	Im7	♭IIIM7（♭VIM7）
	サブドミナント	IVm7	IIm7(♭5)、♭VIM7
	ドミナント	Vm7	♭VII7
ハーモニック マイナー・スケール	トニック	ImM7	♭IIIM7(♯5)（♭VIM7）
	サブドミナント	IVm7	IIm7(♭5)、♭VIM7
	ドミナント	V7	VIIdim7
メロディック マイナー・スケール	トニック	ImM7	♭IIIM7(♯5)（VIm7(♭5)）
	サブドミナント	IV7	IIm7、VIm7(♭5)
	ドミナント	V7	VIIm7(♭5)

上記以外のノン・ダイアトニック・コードも構成音が近いものは代理として使われる。

4-3 コード進行

ドミナント・モーション

V7→Iの進行は**ドミナント・モーション**という。トライトーンの反行により、もっとも強い進行感がうまれる。

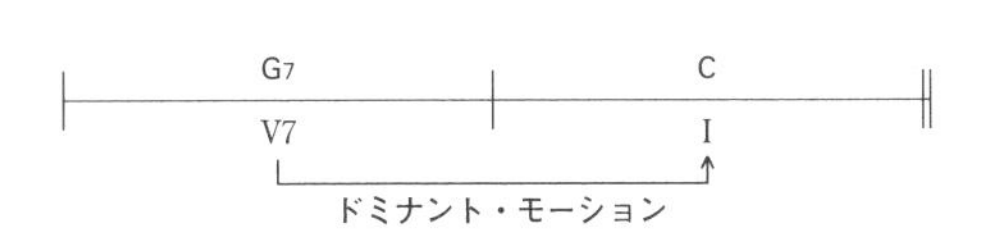

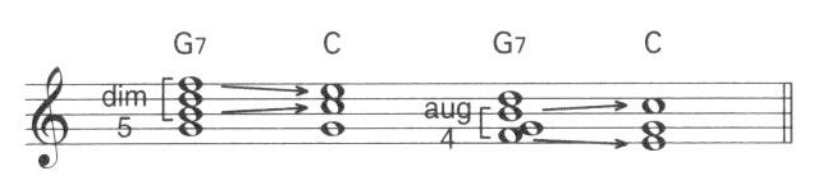

トゥー・ファイブ

マイナー・セブンス・コードから４度上のセブンス・コードへの進行を**トゥー・ファイブ**という。トゥーはダイアトニック・コードのIIm7、ファイブはV7を意味し、最終的にI（トニック）のメジャー・コードへ解決する。

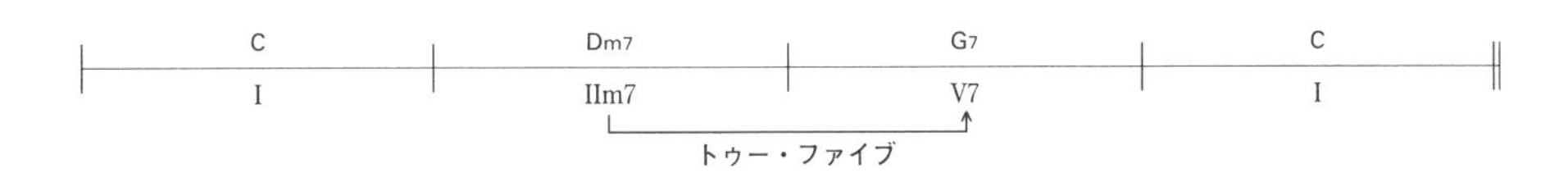

Iがマイナー・コードの場合は、トゥー・ファイブはIIm7(♭5)→V7となる。

セカンダリー・ドミナント

トニック（I/Im）以外のダイアトニック·コードを、仮のトニックとしてドミナント·モーションさせる二次的なドミナントは、**セカンダリー・ドミナント**という。

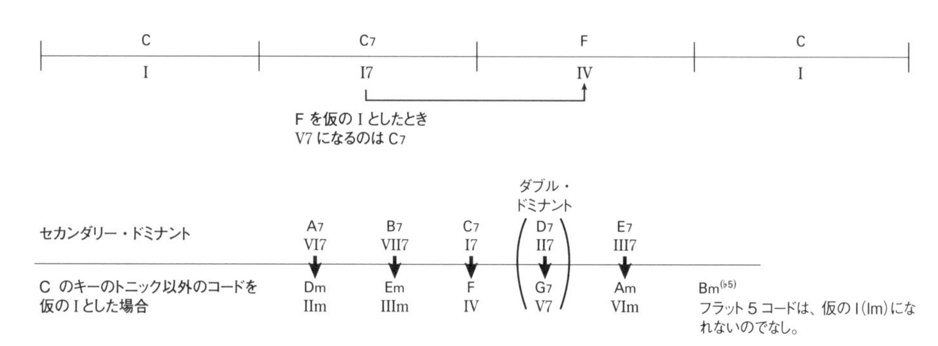

ダブル・ドミナント

セカンダリー・ドミナントの中で、II7 は調性上の V7 にさらにドミナント・モーションをかける働きをするため、**ダブル・ドミナント**という。

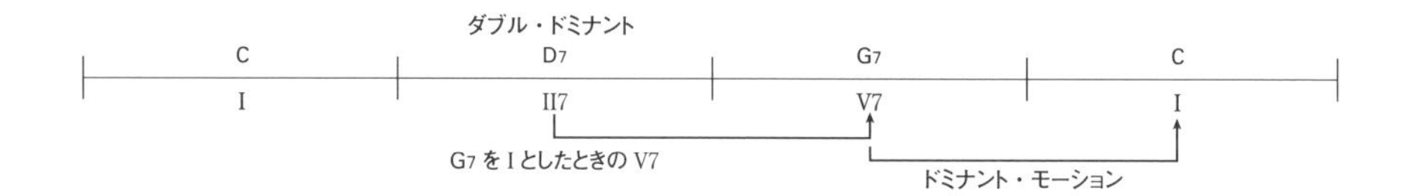

サブドミナント・マイナー

IV(サブドミナント)の代わりに同主調のIVmを代理コードとして使うことができる。IVmは長調において**サブドミナント・マイナー**という。

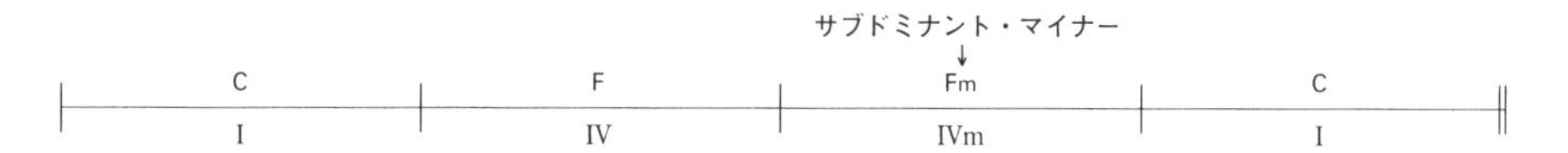

同主調の長調と短調のダイアトニック・コードは共有できる。

裏コード

V7の減5度をルートとしたセブンス・コードには、V7と共通のトライトーン(増4度／減5度音程)が含まれる。これを**裏コード**といい、V7の代理コードとして使うことができる。

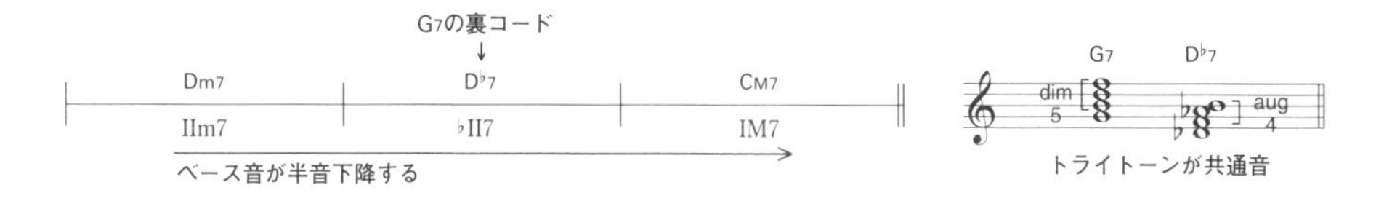

循環コード

トニックからいくつかのコードを経てトニックに戻るコード進行を**循環コード**という。何通りも考えられるが、I→VIm7→IIm7→V7が代表的なパターンで、通称「イチ・ロク・ニー・ゴー」と呼ばれている。

逆循環コード

トニック以外のコードから始まる循環進行は**逆循環コード**という。

4 キーとコード進行

ブルース進行

ミュージシャンのセッションで当たり前のように使われているコード進行。全てのコードにセブンス・コードが使われ、12 小節でワンコーラスとなっているのが特徴。

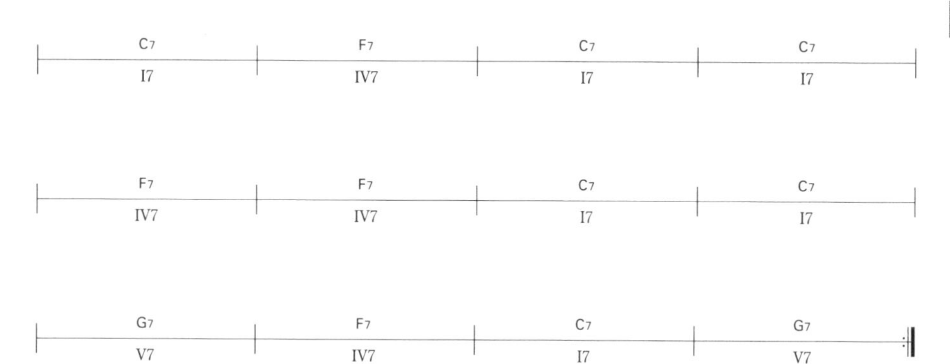

カノン進行

クラシックで有名な『カノン（作曲：パッヘルベル）』のコード進行。作曲された当時はコード進行の概念がないが、後に以下のようなコード進行であると解釈された。現在は様々な曲でこのコード進行で聴くことができ、コード進行がアレンジされている場合もある。

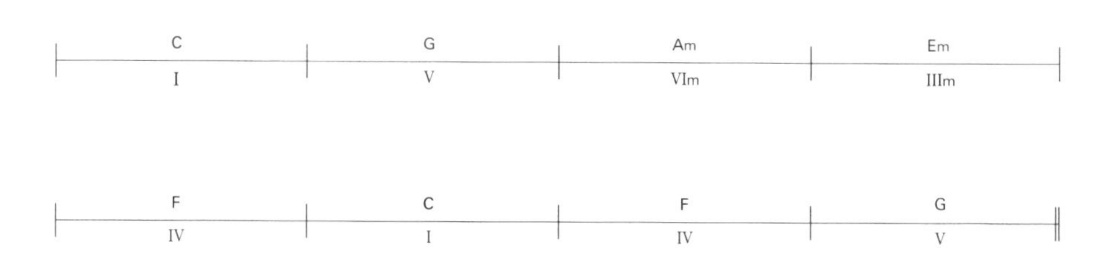

クリシェ

1つのコードが連続するときに、コード内のある音を半音（または全音）単位で動かすことを**クリシェ**という。ベースラインがクリシェとなったパターンは**ベースライン・クリシェ**という。

●の連結がクリシェ

ベースラインのクリシェ

ペダル・ポイント

コードが変わってもトップ・ノートやベース音で持続し続ける音を**ペダル・ポイント**という。ペダル・ポイントを使うとコード・チェンジが滑らかな印象になる。

トップのG音がペダル・ポイント

ベースのC音がペダル・ポイント

ペダル・ポイントがトップ・ノートの場合はテンション・コード、ベース音の場合はオン・コードが使われるケースが多い。

5 スケール

5-1 スケールの構成

コード・スケールとは？

一つのコード上でメロディラインやフレージングに使用できる音をルート音から並べたものを**コード・スケール**といい、コード・トーンとそれ以外のノン・コード・トーンにより構成される。ノン・コード・トーンはさらに、テンション・ノートとテンションとは認められない**アヴォイド・ノート**(除外音)とに分けられる。テンション・ノートはコード・サウンドになるが、アヴォイド・ノートは長く伸ばすと不協和音になるので、経過的・隣接的にしか使えない。同じコードでも調性上の機能に応じて色々なスケールが考えられる。

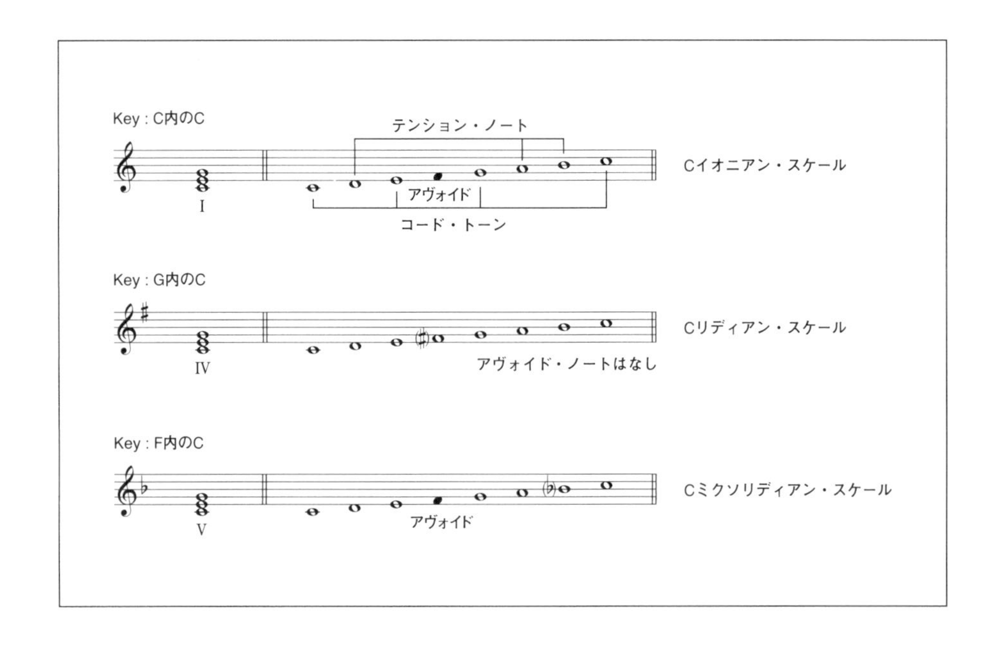

5-2 モード・スケール

モード・スケールとは？

中世の教会音楽で使われていたチャーチ・モード(教会旋法)の名称をコード・スケールに転用したもの。長音階(メジャー・スケール)の7つの構成音をそれぞれトニックとし、並べ替えた形になっている。従って、ダイアトニック・コード上で使えるスケールとして覚えておくと良い。**★次項より紹介する各モード・スケールは比較しやすいようにすべてCをルートとして示す。**

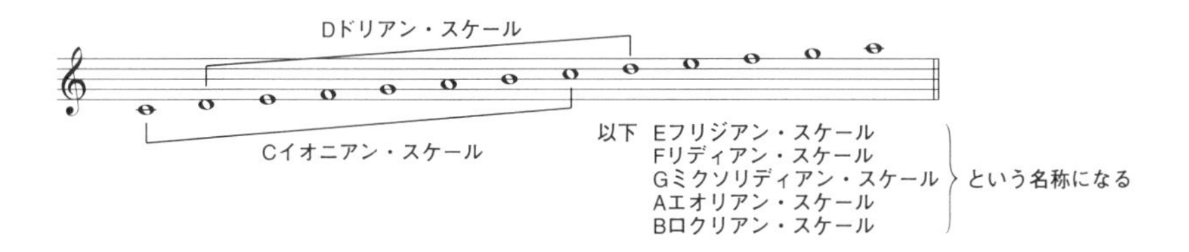

イオニアン(アイオニアン)・スケール

スケール構成はメジャー・スケールと同じ。この他のモード・スケールの基盤となり、ダイアトニック・スケールとも呼ばれる。

対応コード ➡ IM7
アヴォイド・ノート ➡ P4

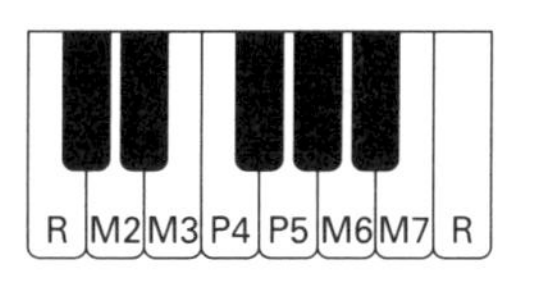

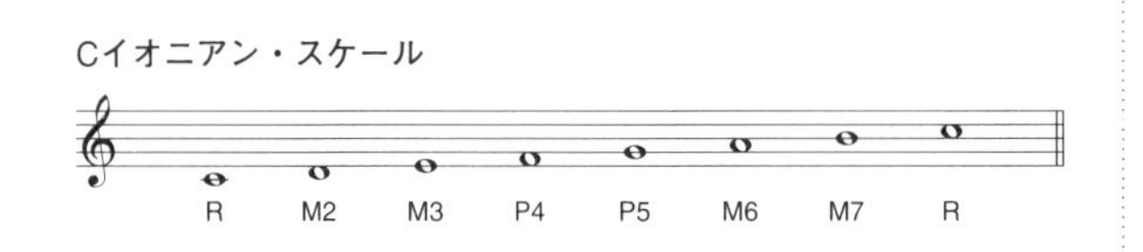

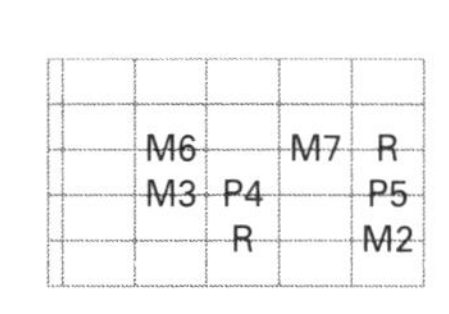

ドリアン・スケール

メジャー・スケールを2度から並べ直した長6度を持つマイナー系スケール。マイナー・セブンス・コードの基盤となっており、トゥー・ファイブ（IIm7→V7）での使用に適している。

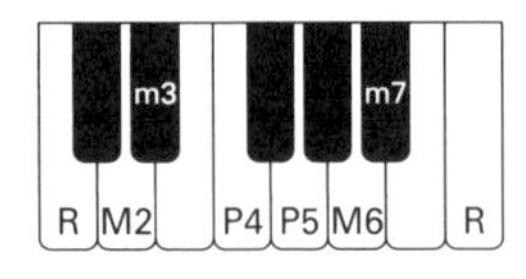

対応コード ➡ IIm7
アヴォイド・ノート ➡ M6

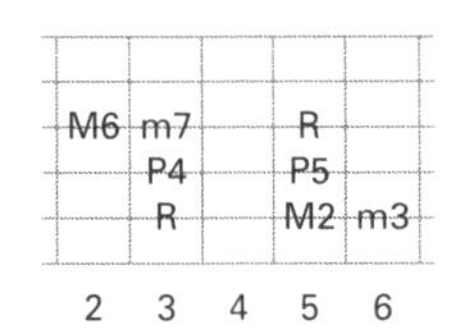

Cドリアン・スケール

R M2 m3 P4 P5 M6 m7 R

フリジアン・スケール

メジャー・スケールを3度から並べ直した短2度を持つマイナー系スケール。トニックの半音上の短2度が独特で特徴のある響き。

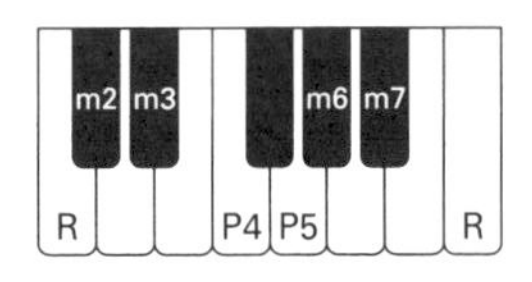

対応コード ➡ IIIm7
アヴォイド・ノート ➡ m2・m6

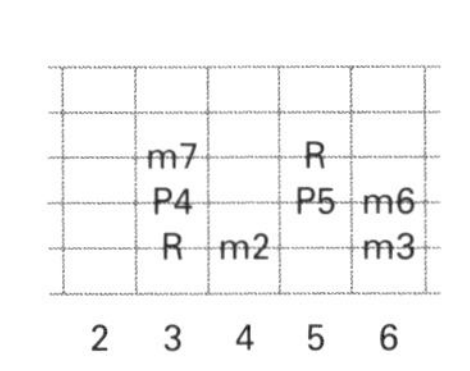

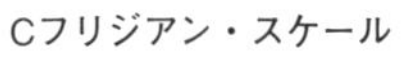

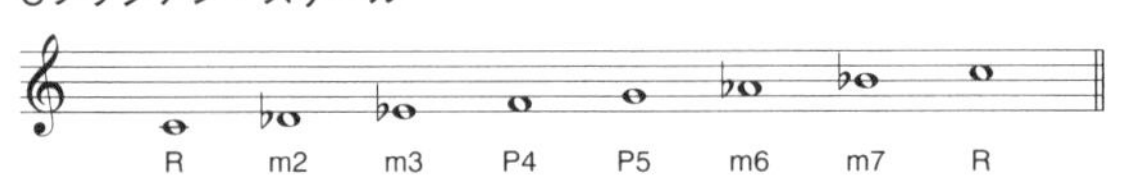

リディアン・スケール

メジャー・スケールを４度から並べ直した増４度を持つメジャー系スケール。メジャー・セブンス・コードで使用できるが、IM7には適さない。

対応コード ➡ IVM7
アヴォイド・ノート ➡ なし

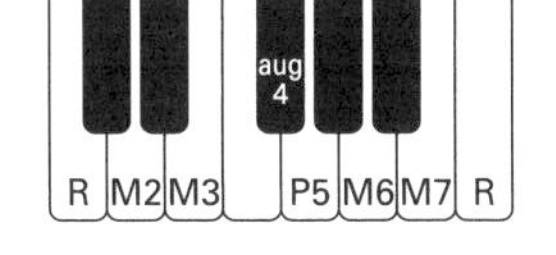

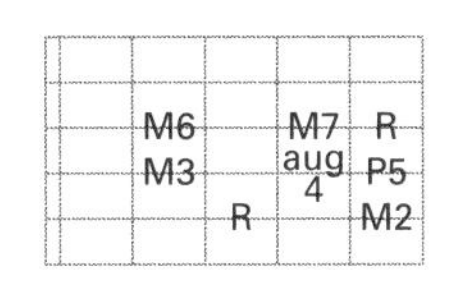

Cリディアン・スケール

R M2 M3 aug4 P5 M6 M7 R

ミクソリディアン・スケール

メジャー・スケールを５度から並べ直した短７度を持つメジャー系スケール。ドミナント・セブンスやセカンダリー・ドミナントで使用できる。

対応コード ➡ V7
アヴォイド・ノート ➡ P4

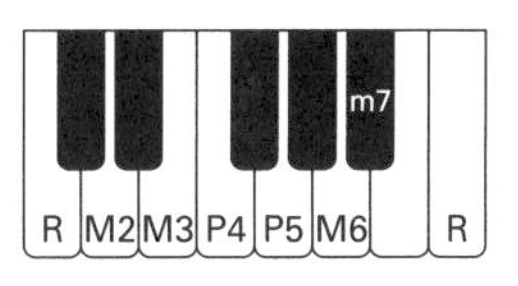

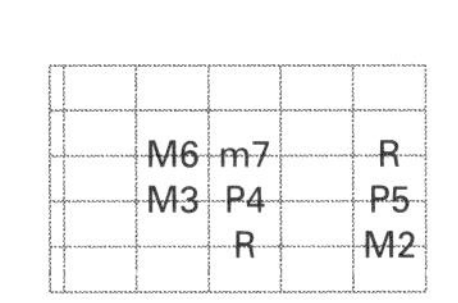

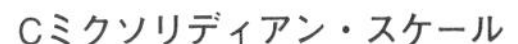

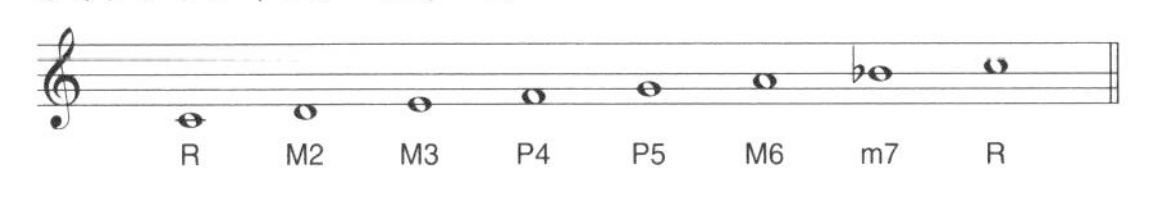

エオリアン・スケール

メジャー・スケールを6度から並べ直したマイナー系スケールで、スケール構成はナチュラル・マイナー・スケールと同じ。

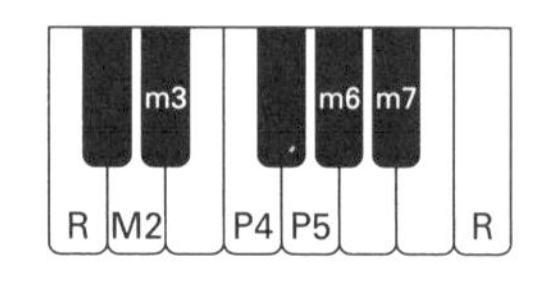

対応コード ➡ VIm7
アヴォイド・ノート ➡ m6

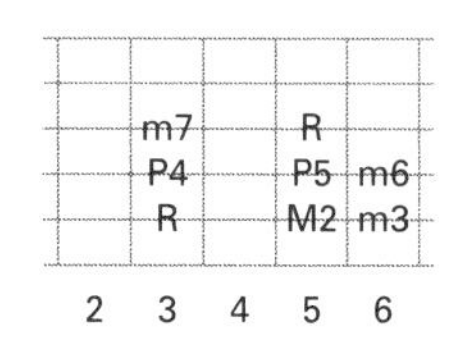

Cエオリアン・スケール

R M2 m3 P4 P5 m6 m7 R

ロクリアン・スケール

メジャー・スケールを7度から並べ直した短2度と減5度を持つマイナー系スケール。マイナー・セブン・フラット・ファイブ・コードで使用できる。

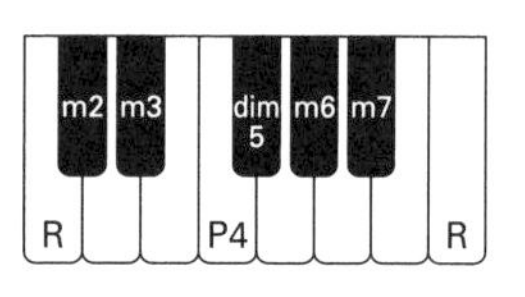

対応コード ➡ VIIm7(♭5)
アヴォイド・ノート ➡ m2

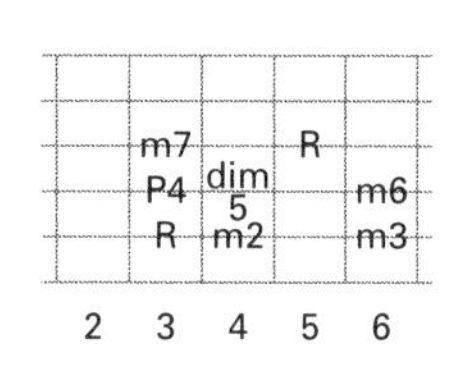

Cロクリアン・スケール

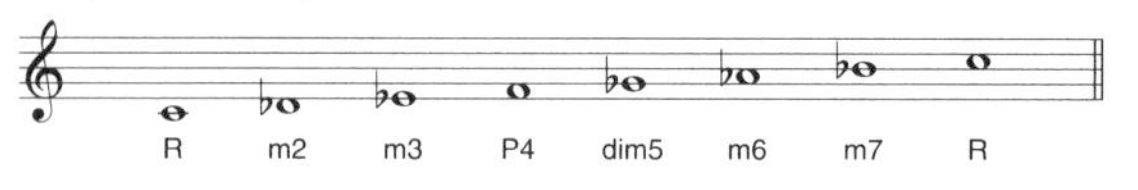

5-3 ドミナント・セブンス・スケール

V7やセカンダリー・ドミナントの拠り所となるスケール。

リディアン・ドミナント・スケール

リディアン・スケールの長７度を短７度に変化させたスケール。

対応コード ➡ V7
アヴォイド・ノート ➡ なし

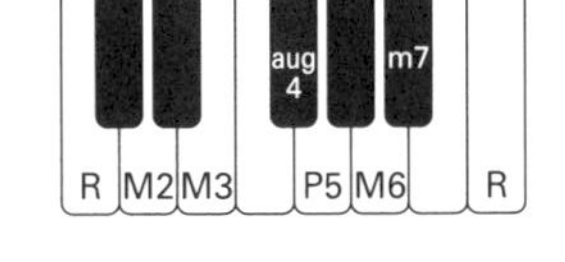

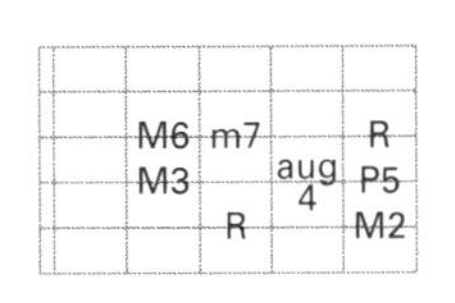

Cリディアン・ドミナント・スケール

オルタード・ドミナント・スケール

セブンス・コードのオルタード・テンションを全て含んだスケールで、単にオルタード・スケールとも呼ばれる。

対応コード ➡ V7
アヴォイド・ノート ➡ なし

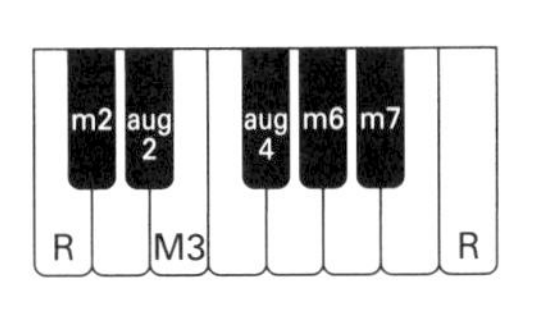

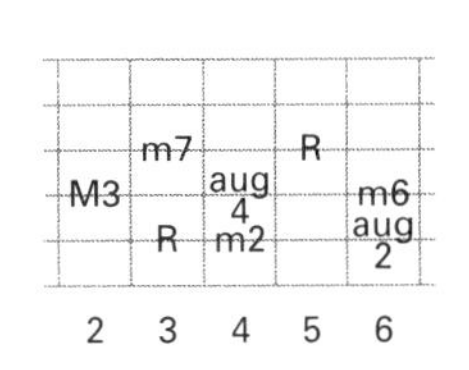

Cオルタード・ドミナント・スケール

R m2 aug2 M3 aug4 m6 m7 R

ハーモニック・マイナー・P5thビロウ

ハーモニック・マイナー・スケールを5度から並べ直したスケール。

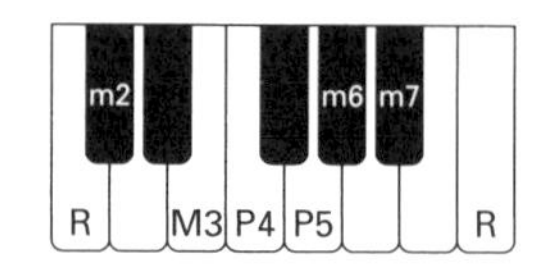

対応コード ➡ V7
アヴォイド・ノート ➡ P4

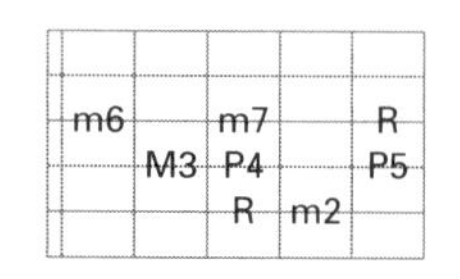

Cハーモニック・マイナー・P5thビロウ

R　m2　M3　P4　P5　m6　m7　R

ミクソリディアン・♭6th・スケール

ミクソリディアン・スケールの6度を半音下げたスケール。メロディック・マイナー・スケールを5度から並べ直したスケールともとれるため、メロディック・マイナーP5thビロウに相当する。

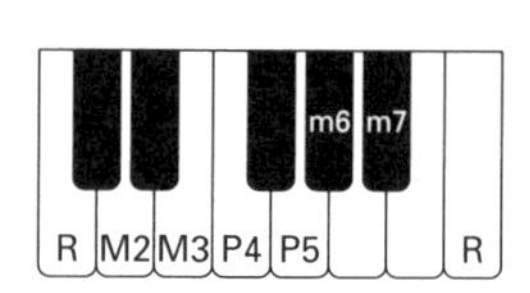

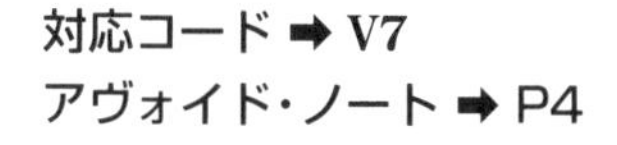
対応コード ➡ V7
アヴォイド・ノート ➡ P4

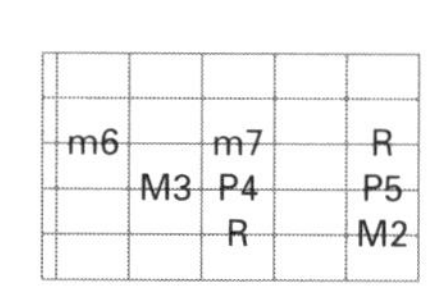

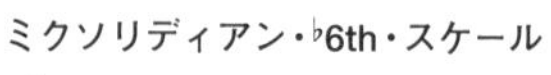
ミクソリディアン・♭6th・スケール

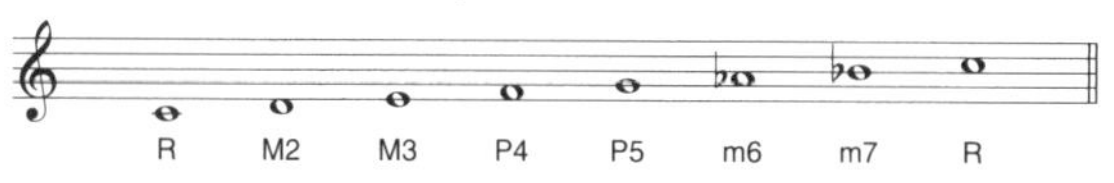

ホールトーン・スケール

構成音を全音間隔で並べた、6音構成のスケールで全音音階とも呼ばれる。スケールの種類は全体を半音上げたものと2種類しか存在しない。

対応コード ➡ Vaug7
アヴォイド・ノート ➡ なし

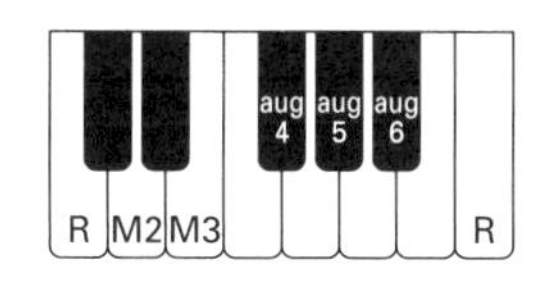

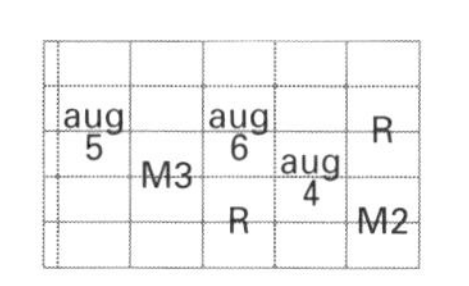

Cホールトーン・スケール

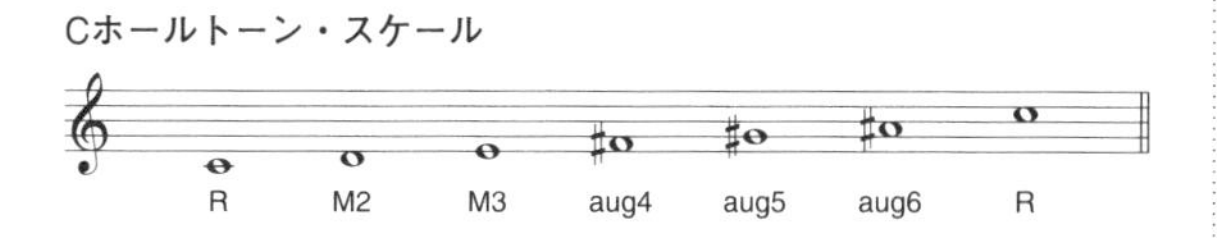

コンビネーション・オブ・ディミニッシュ・スケール

ドミナント・セブンスと同じルートのディミニッシュ・コードを構成する。ディミニッシュ・スケール(P.74)の2度から始まるスケールで、スケール自体は3種類しか存在しない。

対応コード ➡ V7
アヴォイド・ノート ➡ なし

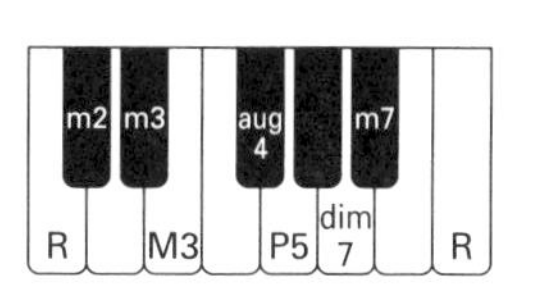

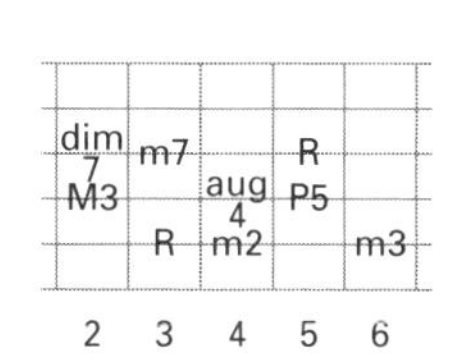

Cコンビネーション・オブ・ディミニッシュ・スケール

5-4 ディミニッシュ・スケール

ディミニッシュ・スケール

ルートから全音･半音を繰り返し規則的に並べた8音構成のスケールで、ディミニッシュ・コードで使用できる。スケール自体は3種類しか存在しない。

対応コード ➡ dimコード
アヴォイド･ノート ➡ なし

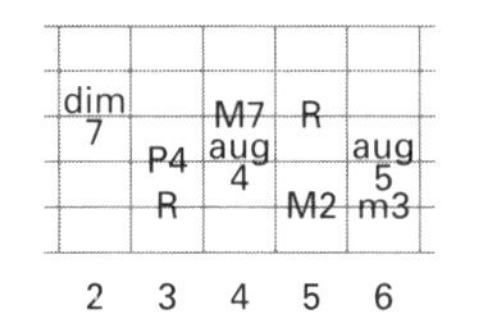

5-5 その他のスケール

メジャー・ペンタトニック・スケール

メジャー・スケールから完全４度と長７度を抜いた５音構成のスケールで、ロックを始めとした様々なジャンルで多用される。

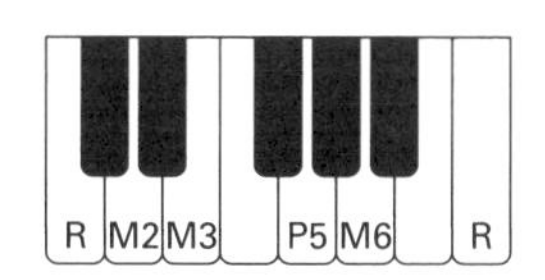

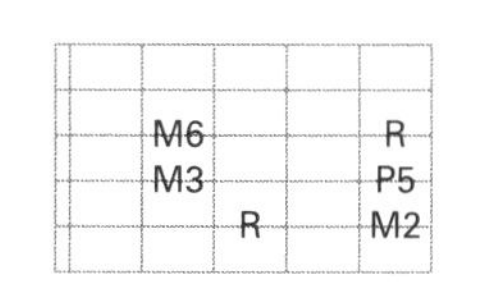

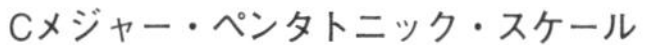

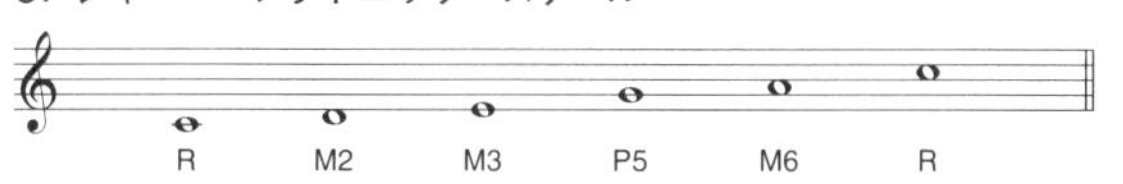

マイナー・ペンタトニック・スケール

メジャー・ペンタトニックを長６度から並べ直したスケール。メジャー・ペンタトニックと同様、ロックを始めとした様々なジャンルで多用される。

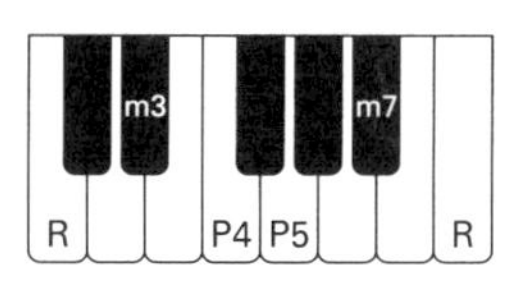

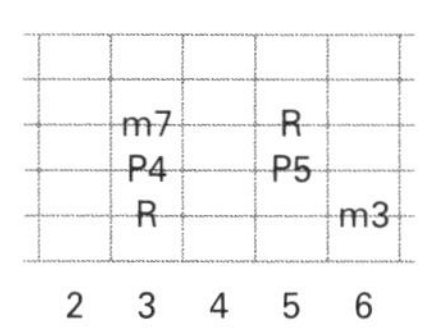

2　3　4　5　6

ブルー・ノート・スケール

マイナー・ペンタトニック・スケールに減5度を加えたスケール(図a)。メジャー・スケール上の3、5、7度を半音下げた短3度・減5度・短7度を**ブルー・ノート**という(図b)。このブルー・ノートの使用がブルースやジャズの特徴的なサウンドを構成する。

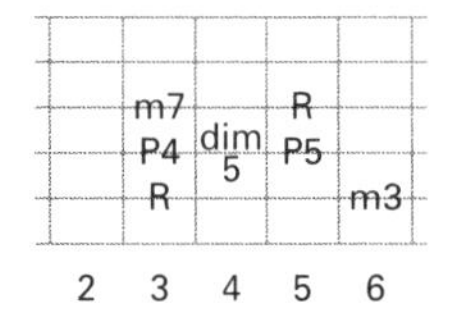

・a

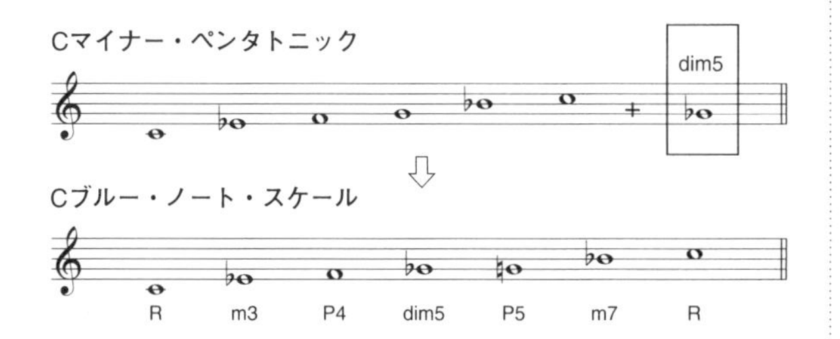

・b

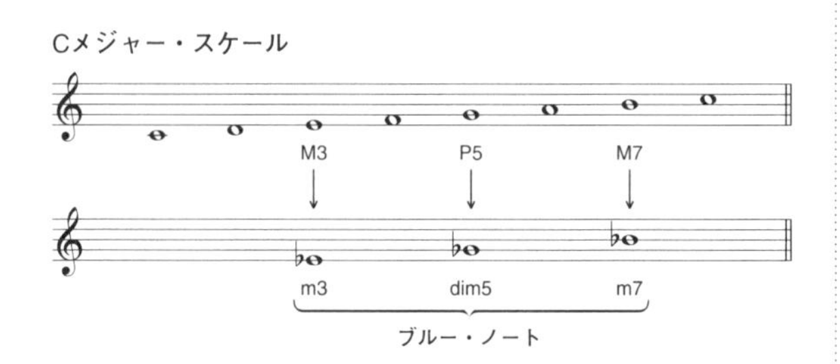

スパニッシュ・8ノート・スケール

フラメンコなど、スペインの民族音楽で聴かれる8音構成のスケール。I→I♯ の進行上で使用すると効果的。

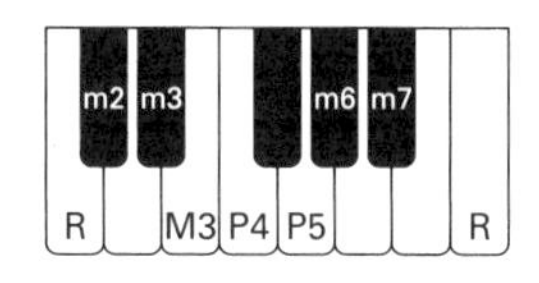

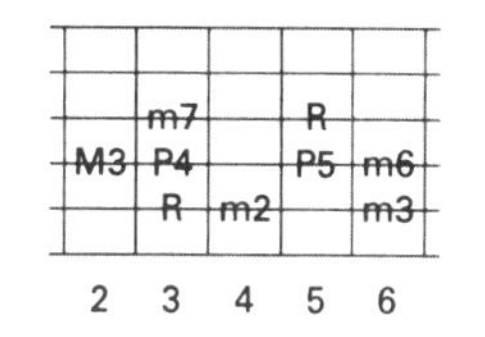

Cスパニッシュ・8ノート・スケール

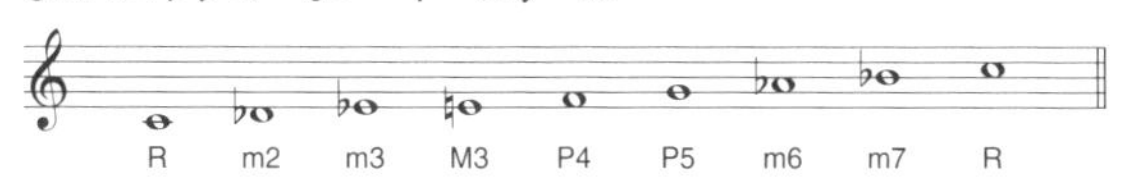

ハンガリアン・マイナー・スケール

別名ジプシー･スケールとも呼ばれるハーモニック･マイナー･スケールの4度を半音上げたスケール。3種類のマイナー･スケールの代用として使用することができる。

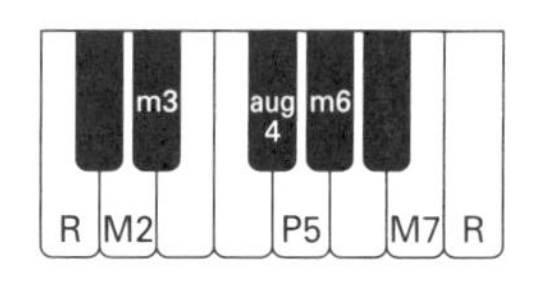

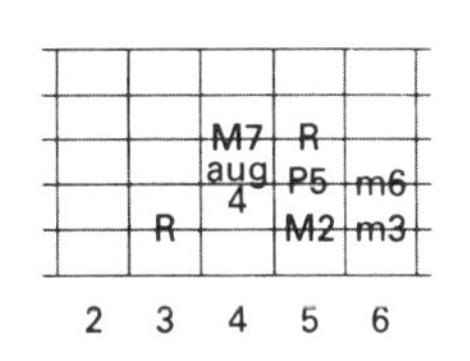

Cハンガリアン・マイナー・スケール

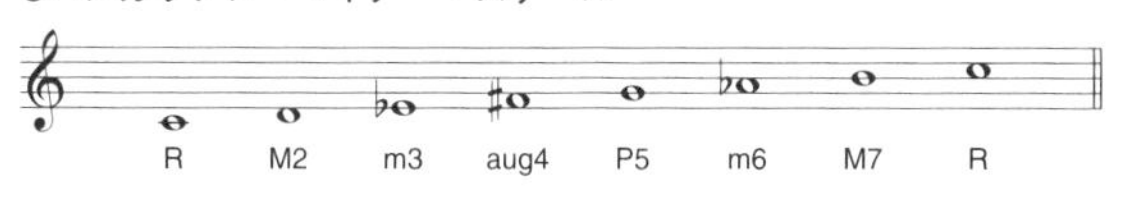

平調子スケール

ナチュラル·マイナー·スケールから４度と７度を抜いた、通称「ヨナヌキ」と呼ばれる演歌で多用されている日本固有のスケール。マイナー·コード全般に使用できる。

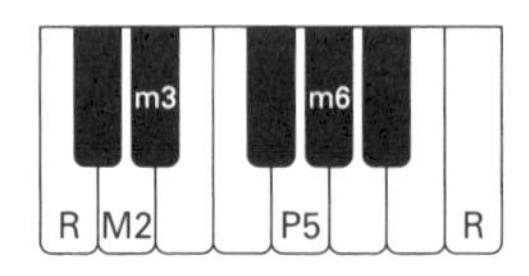

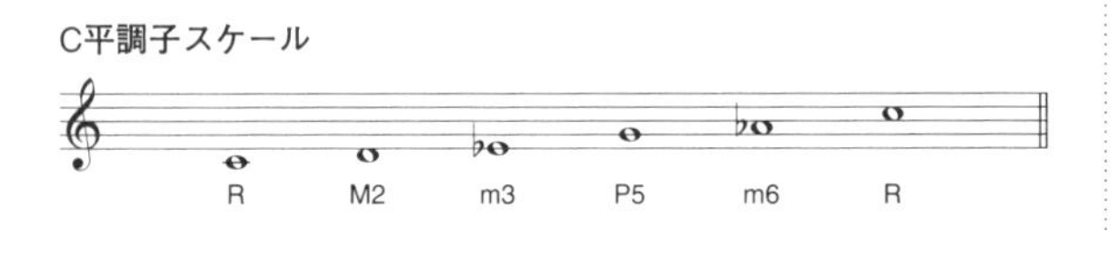

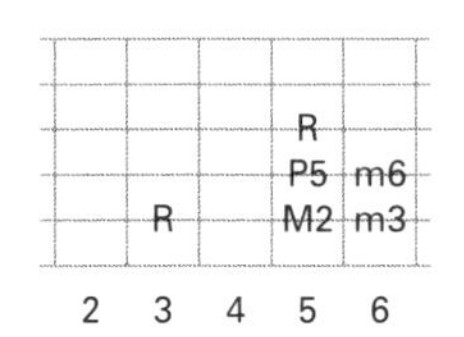

沖縄スケール

メジャー·スケールから２度と４度を抜いたスケールで、名前の通り「沖縄民謡」独特の響き。メジャー·トライアドでの使用に適している。

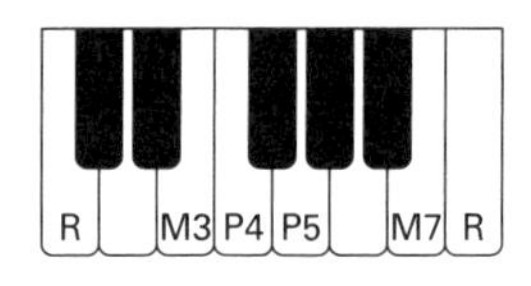

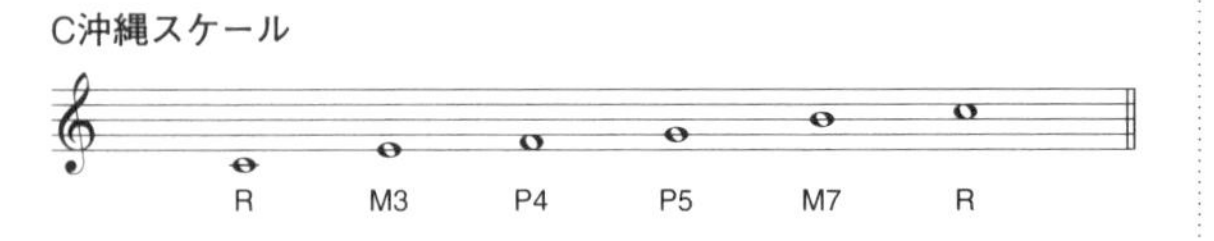

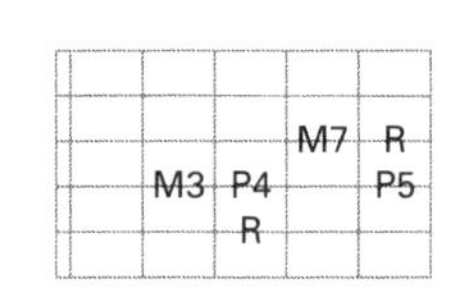

リズム

6-1　音符と休符

音符の種類

音符の名称は全音符を基準として、1/2の長さを2分音符、1/4の長さを4分音符といったように呼ぶ。

音符の書き方

音符の棒は、五線の真ん中の線を境にそれより上は下向き、下は上向きに書く（真ん中の線はどちらでも良い）。音符の旗は、常に右向きに書き、連続するときはつなげて書く。

休符の種類

休みの長さを表わす休符は音符の種類と名称に対応している。

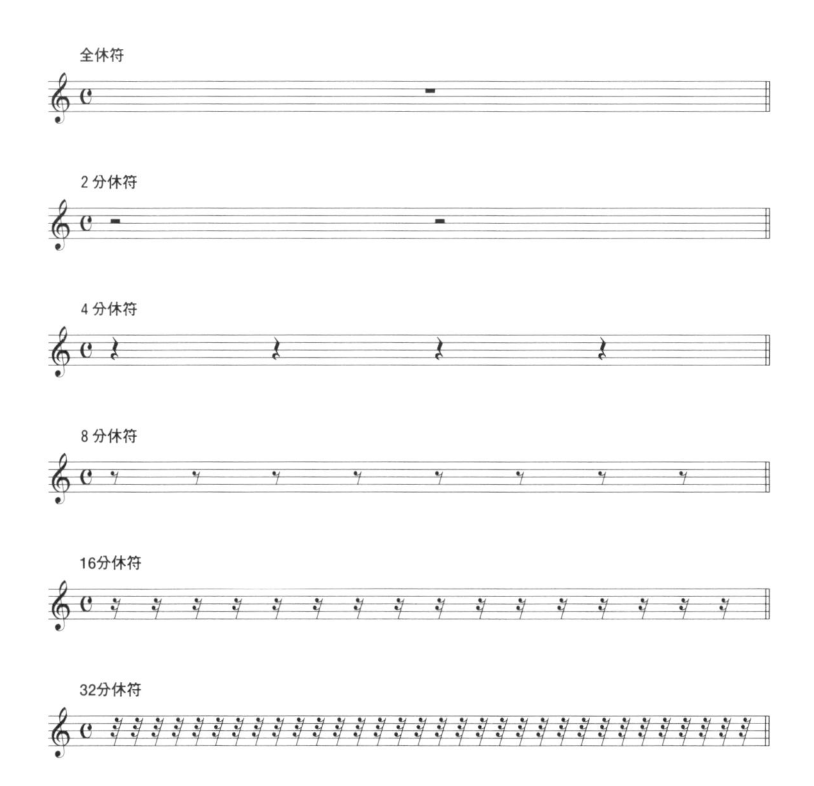

休符の書き方

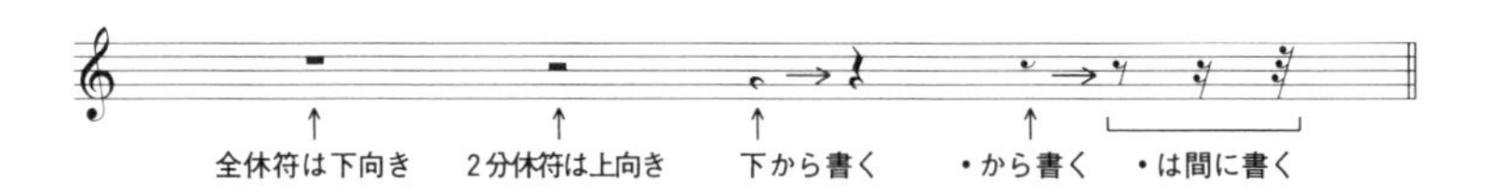

付点音符と付点休符

音符や休符の右に**付点**（ふてん）という小さな点が付くと、付いている音符（または休符）にその1/2の長さの音符（休符）を足した長さになる。

複付点音符と複付点休符

付点が２つ付くと、付いている音符（休符）にその1/2の長さと1/4の長さの音符（休符）を足した長さになる。

付点、複付点は五線の線を避け、線と線の間（間（かん）という）に書く。

連符

本来2等分できる音符を3等分、3等分できる音符を4等分、4等分できる音符を5等分etc.にしたものを**連符**という。等分した数を音符の上か下に書き、それぞれ3連符、4連符、5連符というように呼ぶ。

連符を表記する音符は、もとの長さになる音符に対して、3連符なら2等分できる音符、5連符なら4等分できる音符、というように長さを詰め込んで書く。

タイ

高さの同じ2つの音符を**タイ**という弧線でつなぐと、2つの音符を足した長さとみなすことができる。タイが使われるのは主に以下のような場合がある。

・1小節以上音を伸ばす

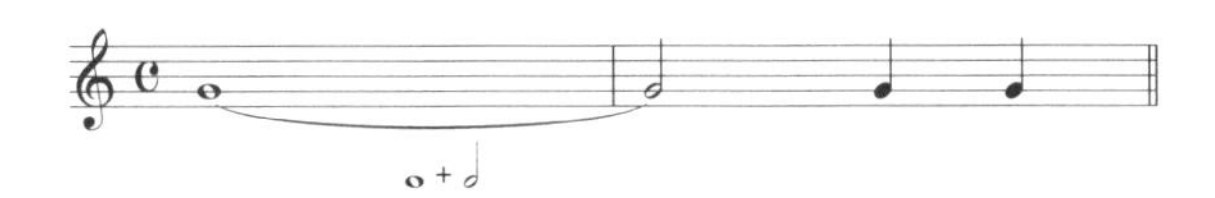

・1つの音符では表せない長さを表わす

・音の長さや拍を明確にする

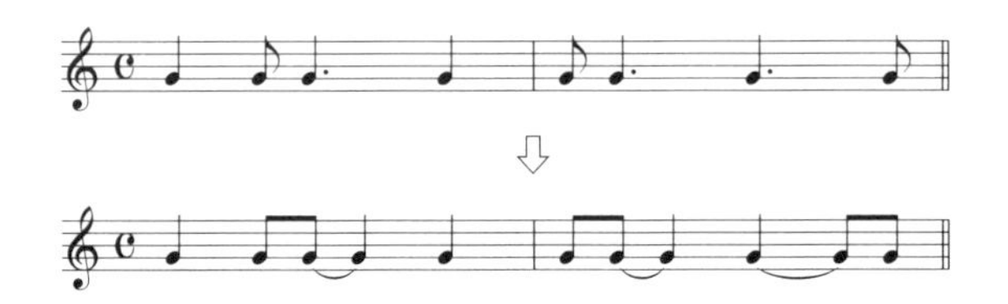

タイが使われるのは、高さの同じ音同士のみ。

6-2 拍子

拍子とは？

音楽に流れる規則的なリズムの刻みを**拍**(はく)といい、拍を数えやすいように何拍かごとにまとめたものを**拍子**(ひょうし)という。拍子は心理的にインパクトを感じる**強拍**とそれ以外の**弱拍**の周期で成り立つ。

拍のオモテとウラ

ポピュラー音楽では、強拍を**オモテ**、弱拍を**ウラ**と呼ぶことがある。また、1拍を半分に分けて前をオモテ、後をウラと呼ぶこともある。

拍子記号

拍子を楽譜上で示す拍子記号は、五線の音部記号の隣に分数のような数字で書かれる。下の数字が1拍の基準となる音符、上の数字が何拍で数えるか（何拍子か）を表わしている。分数の読み方と同じように下から上に「○分の○拍子」という読み方をする。

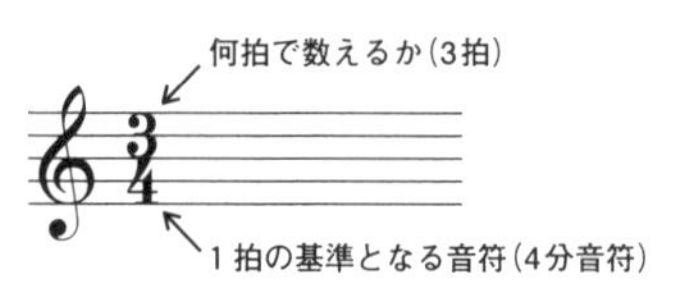

⇨ 4分の3拍子（よんぶんのさんびょうし）と読む

拍子記号は曲の始まりと拍子が変わったときにだけ書かれる。

拍子記号の省略形

ポピュラー音楽で一番多い $\frac{4}{4}$ 拍子は「一般的な拍子」「普通の拍子」の意味で、英語でコモン・タイム（common time）とも呼ばれ、𝄴 の省略表記もよく使われる。また、2分の2拍子は 𝄵 という省略形が使われることが多い。

小節と小節線

五線は拍子記号の拍数分の長さで縦に区切られていく。この縦の線を**小節線**（または縦線）といい、小節線で区切られた部分を**小節**という。

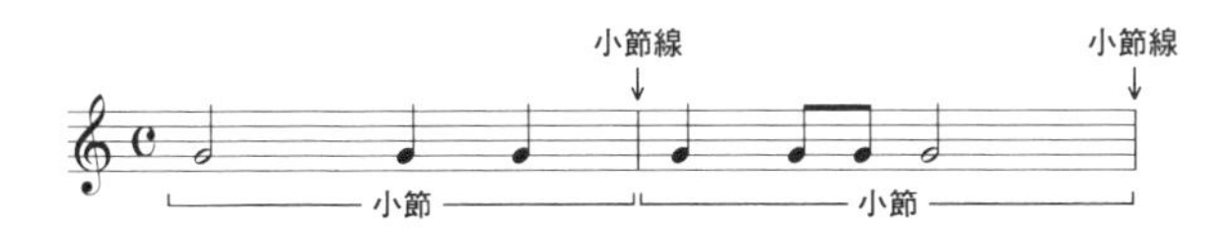

複縦線と終止線

小節線は、曲が途中で展開するときは２本になった**複縦線**が書かれ、曲の最後には太線を足した**終止線**が書かれる。

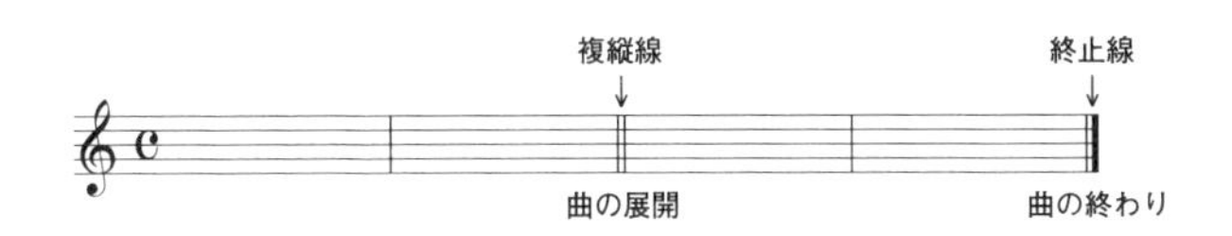

単純拍子

2・3・4拍子を**単純拍子**という。単純拍子は1拍目が必ず強拍になる。

	拍子記号	1拍とする音符	1小節内の基本形	強拍と弱拍
2拍子	$\frac{2}{2}$ (¢)	𝅗𝅥	𝅗𝅥 𝅗𝅥	強 拍 ❶ 2
	$\frac{2}{4}$	♩	♩ ♩	
3拍子	$\frac{3}{4}$	♩	♩ ♩ ♩	❶ 2 3
	$\frac{3}{8}$	♪	♪ ♪ ♪	
4拍子	$\frac{4}{4}$ (c)	♩	♩ ♩ ♩ ♩	❶ 2 ❸ 4
	$\frac{4}{8}$	♪	♪ ♪ ♪ ♪	

複合拍子

6・9・12拍子を**複合拍子**という。複合拍子は3の倍数である付点音符で大きく2・3・4拍子と数えることができる。

	拍子記号	1拍とする音符	1小節内の基本形	強拍と弱拍
6拍子	$\frac{6}{4}$	♩	𝅗𝅥. 𝅗𝅥. ♩ ♩ ♩ ♩ ♩ ♩	❶ 2 3 ❹ 5 6
	$\frac{6}{8}$	♪	♩. ♩. ♪♪♪ ♪♪♪	
9拍子	$\frac{9}{8}$	♪	♩. ♩. ♩. ♪♪♪ ♪♪♪ ♪♪♪	❶ 2 3 ❹ 5 6 ❼ 8 9
	$\frac{9}{16}$	𝅘𝅥𝅯	♪. ♪. ♪. 𝅘𝅥𝅯𝅘𝅥𝅯𝅘𝅥𝅯 𝅘𝅥𝅯𝅘𝅥𝅯𝅘𝅥𝅯 𝅘𝅥𝅯𝅘𝅥𝅯𝅘𝅥𝅯	
12拍子	$\frac{12}{8}$	♪	♩. ♩. ♩. ♩. ♪♪♪ ♪♪♪ ♪♪♪ ♪♪♪	❶ 2 3 ❹ 5 6 ❼ 8 9 ❿ 11 12
	$\frac{12}{16}$	𝅘𝅥𝅯	♪. ♪. ♪. ♪. 𝅘𝅥𝅯𝅘𝅥𝅯𝅘𝅥𝅯 𝅘𝅥𝅯𝅘𝅥𝅯𝅘𝅥𝅯 𝅘𝅥𝅯𝅘𝅥𝅯𝅘𝅥𝅯 𝅘𝅥𝅯𝅘𝅥𝅯𝅘𝅥𝅯	

混合拍子

5・7・8拍子は複数の単純拍子を組み合わせた形となり、これらを**混合拍子**という。

	拍子記号	1拍の音符	組み合わせる拍子	1小節内の基本形	強拍と弱拍
5拍子	$\frac{5}{4}$	♩	$\frac{3}{4}+\frac{2}{4}$		❶ 2 3 ❹ 5
			$\frac{2}{4}+\frac{3}{4}$		❶ 2 ❸ 4 5
	$\frac{5}{8}$	♪	$\frac{3}{8}+\frac{2}{8}$		❶ 2 3 ❹ 5
			$\frac{2}{8}+\frac{3}{8}$		❶ 2 ❸ 4 5
7拍子	$\frac{7}{4}$	♩	$\frac{4}{4}+\frac{3}{4}$		❶ 2 3 4 ❺ 6 7
			$\frac{3}{4}+\frac{4}{4}$		❶ 2 3 ❹ 5 6 7
	$\frac{7}{8}$	♪	$\frac{4}{8}+\frac{3}{8}$		❶ 2 3 4 ❺ 6 7
			$\frac{3}{8}+\frac{4}{8}$		❶ 2 3 ❹ 5 6 7
			$\frac{2}{8}+\frac{3}{8}+\frac{2}{8}$		❶ 2 ❸ 4 5 ❻ 7
8拍子	$\frac{8}{8}$	♪	$\frac{3}{8}+\frac{3}{8}+\frac{2}{8}$		❶ 2 3 ❹ 5 6 ❼ 8
			$\frac{2}{8}+\frac{3}{8}+\frac{3}{8}$		❶ 2 ❸ 4 5 ❻ 7 8
			$\frac{3}{8}+\frac{2}{8}+\frac{3}{8}$		❶ 2 3 ❹ 5 ❻ 7 8

拍子の変更

曲の途中で拍子が変わる場合は、複縦線と拍子記号がその都度書かれる。拍子記号の分母の数字が変わる場合は「♪＝♪」のような記号を使って、前の拍子の長さを引き継ぐことを示す。

アウフタクト

　曲が1拍目以外から始まることを**アウフタクト**という。アウフタクトの最初の小節は本来の拍数に満たないので**不完全小節**と呼び、1小節とは数えない。

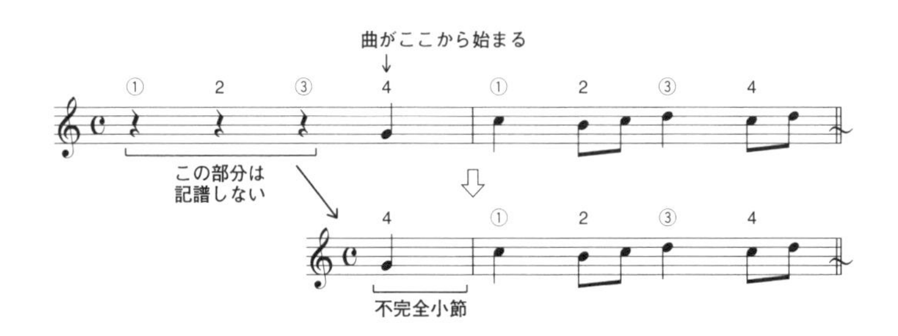

シンコペーション

　拍のウラと次のオモテの音が一つになって、ウラにインパクトを感じるようなリズムを**シンコペーション**という。

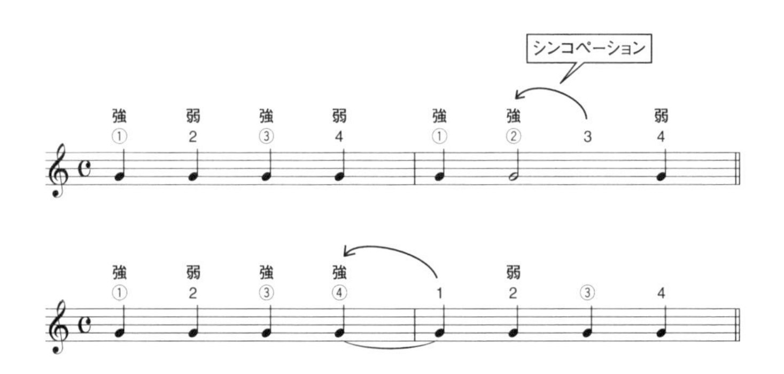

シンコペーションでリズムのインパクトが前に移動することを「クう」ということがある。

リズミック・アンティシペーション

全体のリズムやコード進行よりも前に突出して演奏する音を、先行音または**アンティシペーション**といい、メロディーやコードが全体で同時にシンコーペーションを起こすことを**リズミック・アンティシペーション**という。

メロディック・アンティシペーション

リズミック・アンティシペーションに対し、全体の大まかなリズムやコード進行に先駆けてメロディーラインの中で装飾する音を**メロディック・アンティシペーション**という。

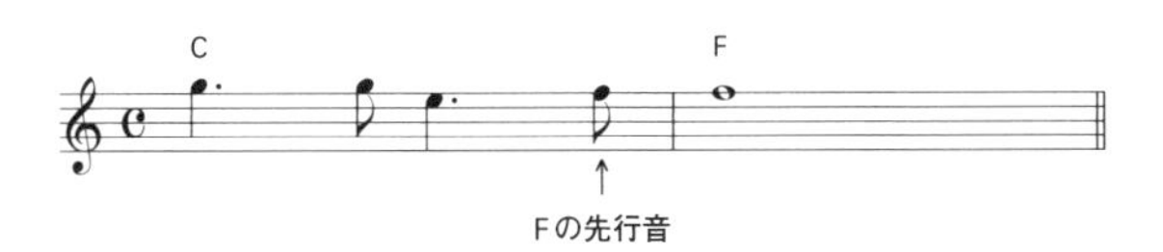

6-3 テンポ

数字による表記

テンポ(曲の速さ)を指定する場合は「♩＝60」のように具体的な数字の表記を用いる。これは1分間に1拍を何回刻む早さかを表わしている。

用語による表示

テンポをある程度演奏者にゆだねる場合は、下表のようなイタリア語の用語が使われる。

速度表記	読み方	意味
Largo	ラルゴ	ゆるやかに
Andante	アンダンテ	歩くような速さで
Moderato	モデラート	程良い速さで
Allegro	アレグロ	速く
Vivace	ヴィヴァーチェ	より速く

上記は、クラシックで用いられる楽語の一例。ポピュラー譜では「slowly(ゆっくり)」や「fast(速く)」など、英語表記も多い。

速度の変更

曲の途中でテンポが変わる場合は、複縦線で区切り、新しい速度を表示する。

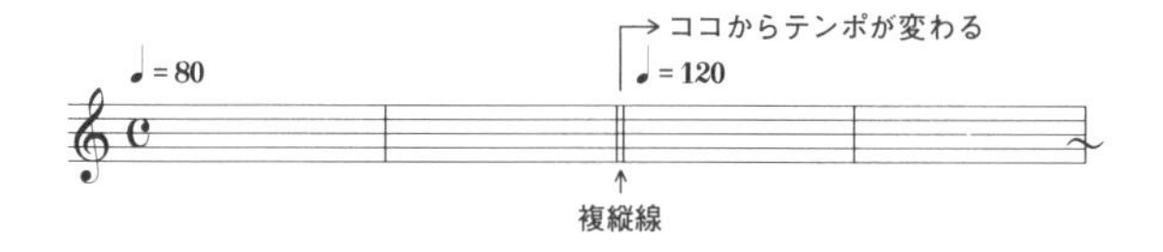

継続的な速度の変更や中断

テンポを途中で少しずつゆっくりしたり、一時中断させるような場合は、図のような用語や記号が使われる。

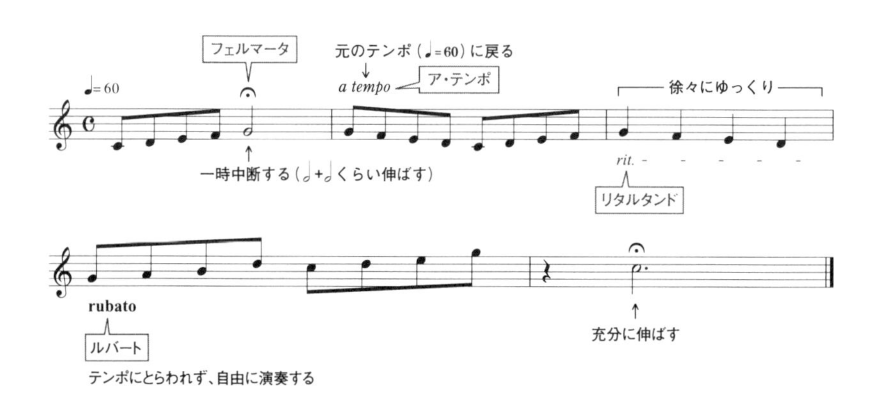

6-4　リズム・パターン

★リズム・パターンは、以下のドラム・パートの基本パターンで紹介。

4ビート（スウィング系）

４分音符を軸にした４ビートは主にジャズに見られるリズム･パターンで「♫ = ♩♪」というハネたリズムが特徴。

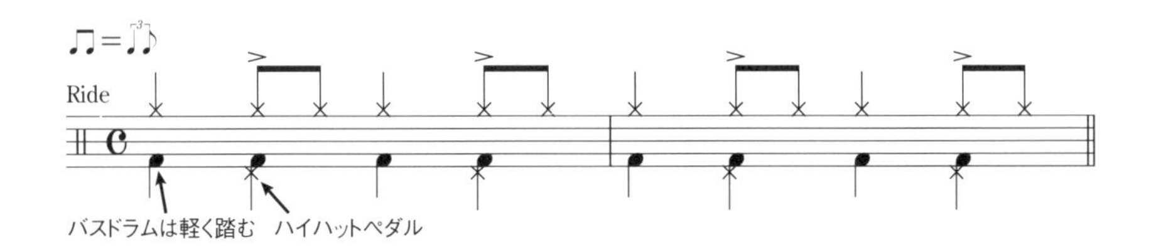

4ビート（モダン系）

モダンジャズのポイントは「4. ～ 2. ～」を感じながら、ライド・シンバルでレガートにすること。４からリズムがスタートするので注意。

バス・ドラムとスネア・ドラムは雰囲気で自由に入れて演奏する。

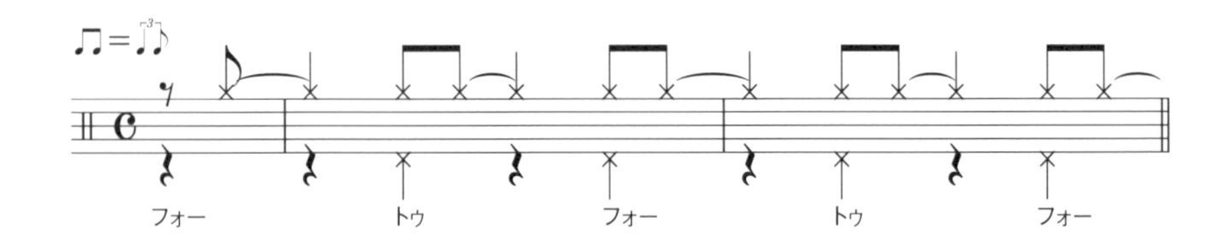

8ビート

8分音符を軸にした8ビートはロックやポップスで幅広く見られ、ジャンルによってアクセントの位置が特徴的なものもある。

・基本8ビート（1）

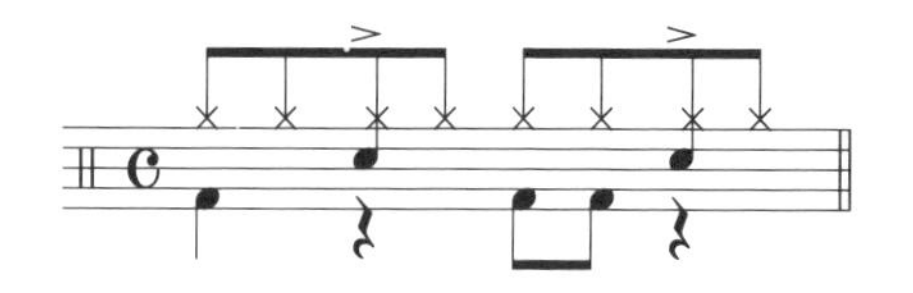

・基本8ビート（2）

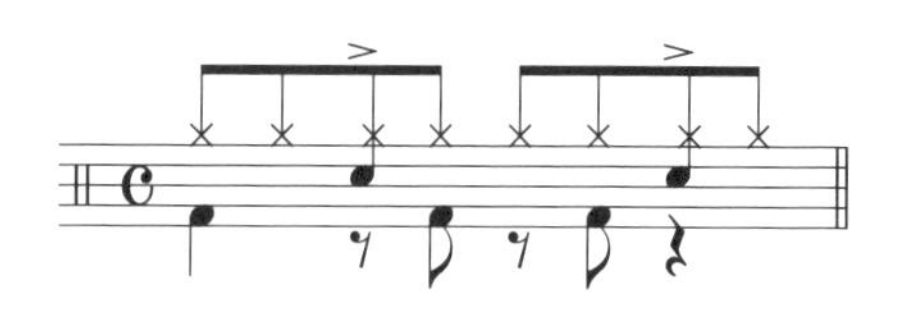

・R & R系

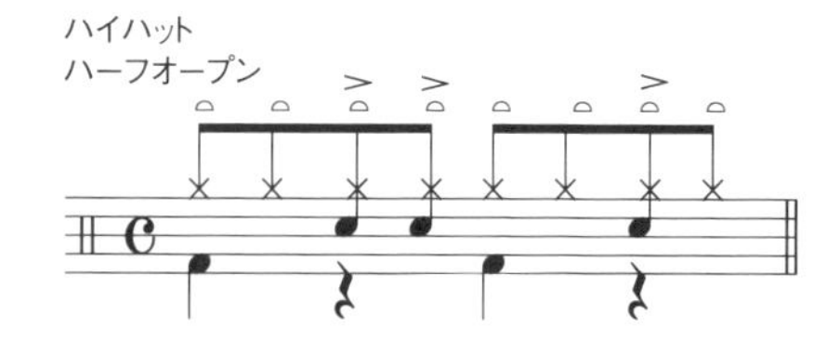

・DISCO系

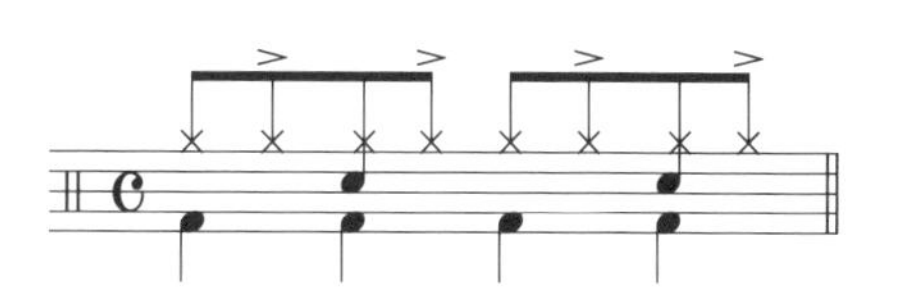

・HARD ROCK系

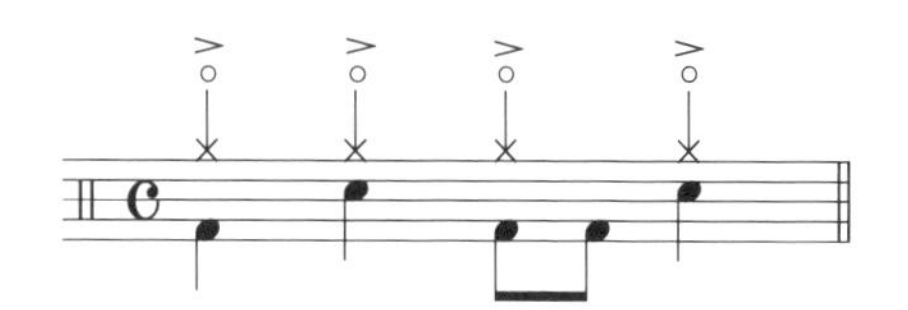

・PUNK系

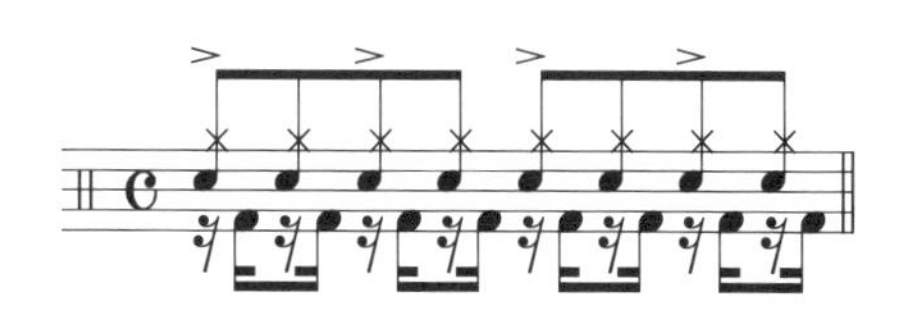

PUNK系はドラムのバスドラを通常の8ビートを倍のテンポで叩くようなパターンが多く見られる。通称「バイテン」と呼ばれている。

16ビート

16分音符を軸にした16ビートは、フュージョンやファンクの基本ビートでもあり、ポップスでも8ビートに次いで多く見られるリズム。

・基本16ビート

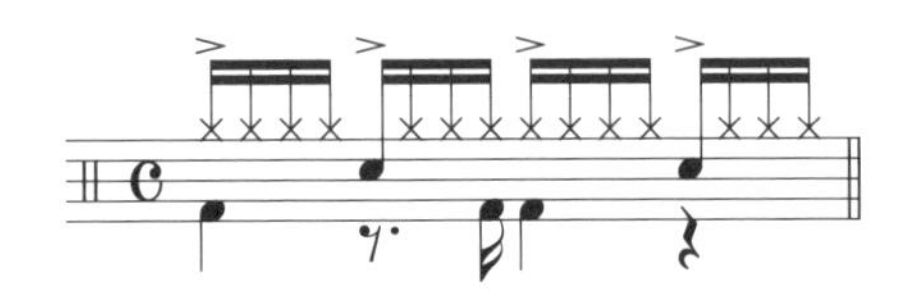

・FUNK系

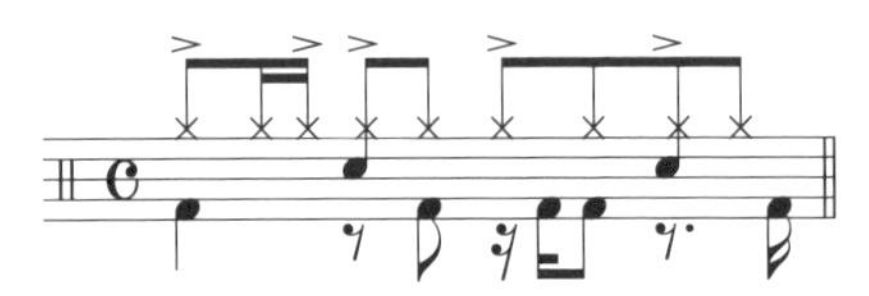

・FUSION系

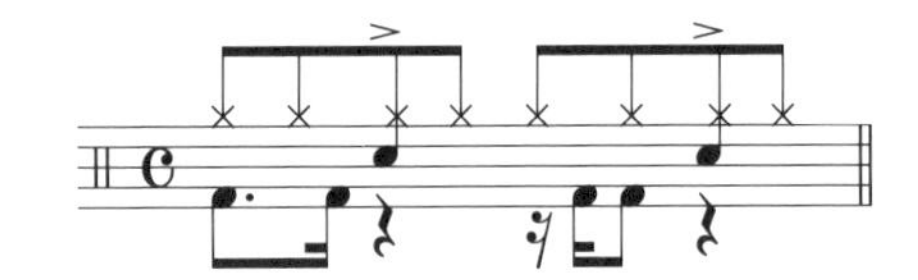

その他のリズム

紹介したもの以外にも、たくさんのリズムがある。一部のみを紹介。

・3拍子

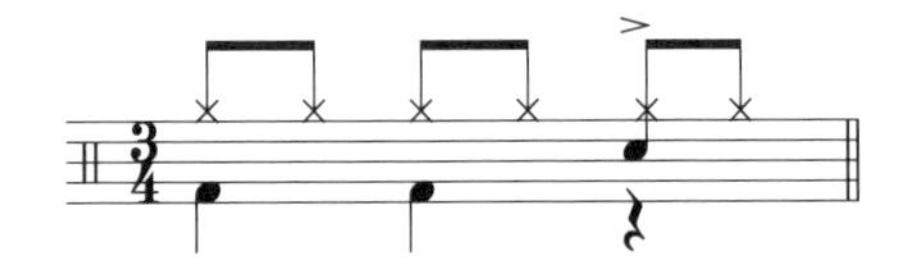

3拍子のビートもたくさん使われていて、代表的なのはワルツ。

・12/8拍子

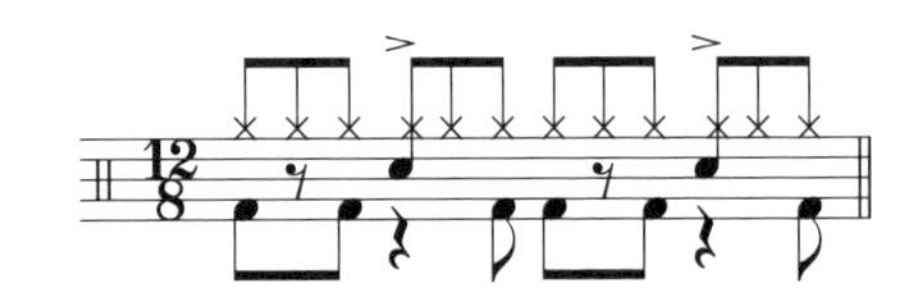

R&Bのスロー・バラード等でよく見られるパターンで、P.88で紹介している複合拍子。8分音符を3つ刻みでカウントするとリズムをとりやすい。

楽譜の読み方

7-1　さまざまな楽譜
7-2　反復記号
7-3　その他の音楽記号と用語

7-1 さまざまな楽譜

コード付メロディ譜

歌集や歌本と呼ばれるタイプの楽譜は、メロディの五線と歌詞の上にコード・ネームが振ってある。伴奏者がこの楽譜を使う場合はコードを理解し、自分で伴奏をアレンジする必要がある。

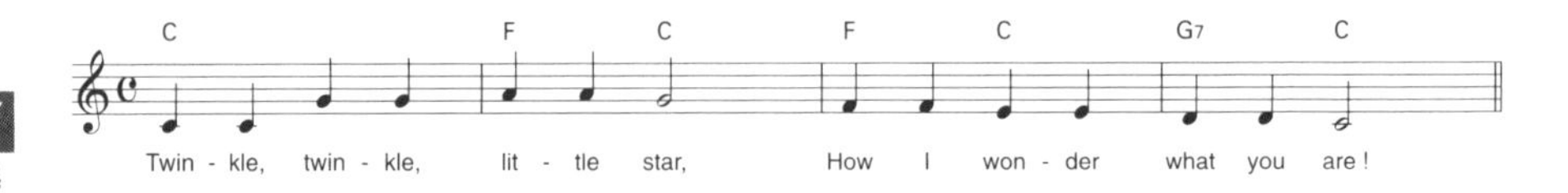

バンドスコア

バンドスコアは、一番上段にヴォーカル、一番下段にドラムの五線が書かれ、その間は上から音域の高い楽器の順に並ぶ（→ギターとベースのTAB譜の見方はP.100、ドラム譜の見方はP.101へ）。

ピアノ伴奏譜

ヴォーカルにピアノの伴奏が付いた３段譜。

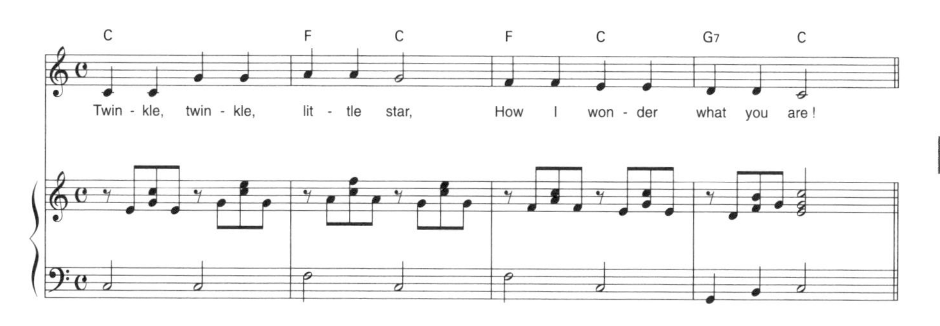

ギター伴奏譜

ギターの伴奏譜はコード付メロディ譜にコード・ダイヤグラムを併記したタイプが多い。

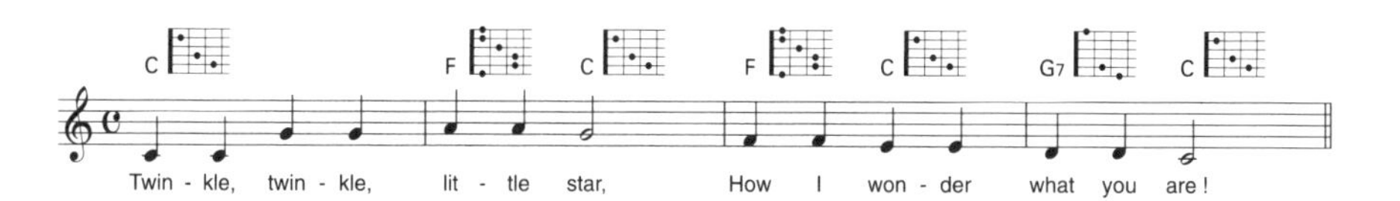

移調譜

管楽器には移調楽器が多く、それぞれの楽器は移調されて記譜される。

（例）トランペット（B♭管）の場合……実際の音よりも長２度上に記譜される。

ギターTAB譜

バンドスコアなどで五線譜と一緒に併記される数字の書かれた譜表はTAB譜（タブふ）という。TAB譜の横線はギターの6本の弦、数字は押さえるフレットを表わしている。

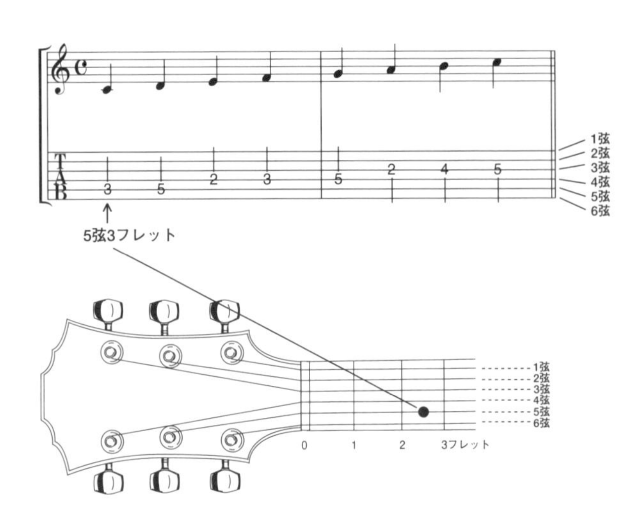

ウクレレTAB譜

ギターと同じくウクレレでもTAB譜は用いられ、横線は4本になる。

ベースTAB譜

ギター、ウクレレと同じくベースでもTAB譜は用いられ、横線は4本になる。

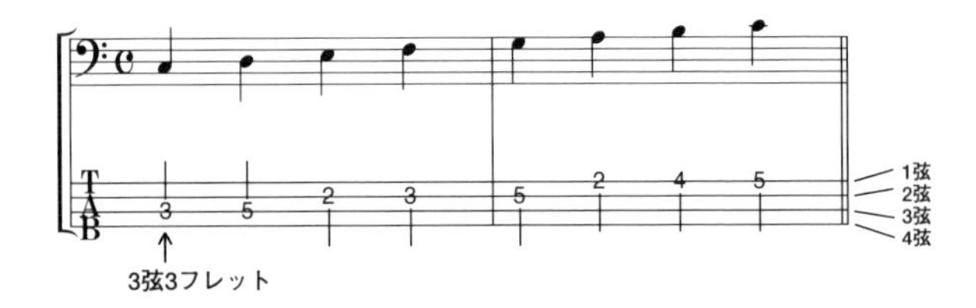

ドラム譜

ドラム譜はヘ音記号の譜表にドラムセットの太鼓やシンバルを高さ別に表記する。ここで挙げる表記は一般的なもので、楽譜によって変わることもあり、統一されていない。

・ドラムセットの名称

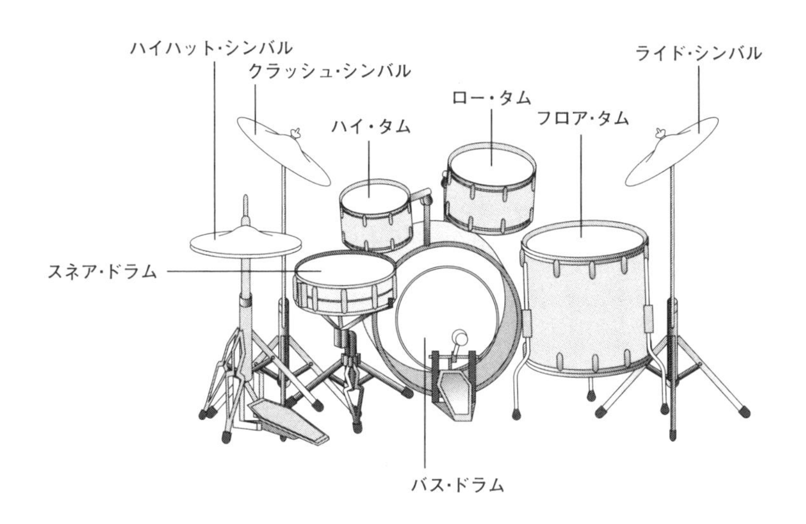

・楽譜の表記

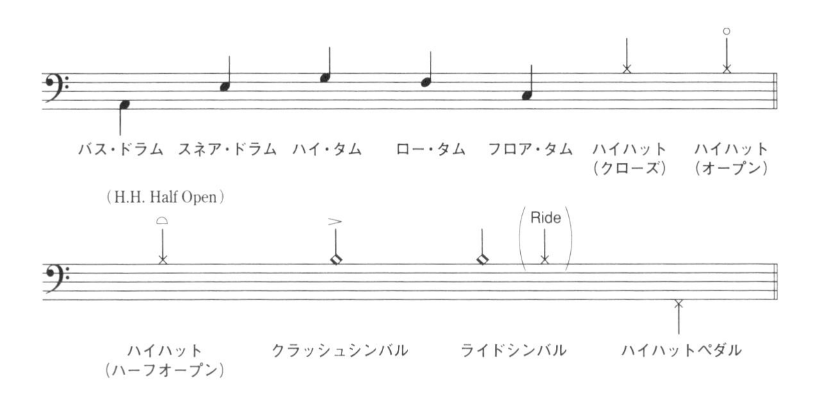

7-2 反復記号

小節の反復

1小節や2小節のフレーズを次の小節でも繰り返すときは、⁒や⁒⁒のような略記号で省略することができる。

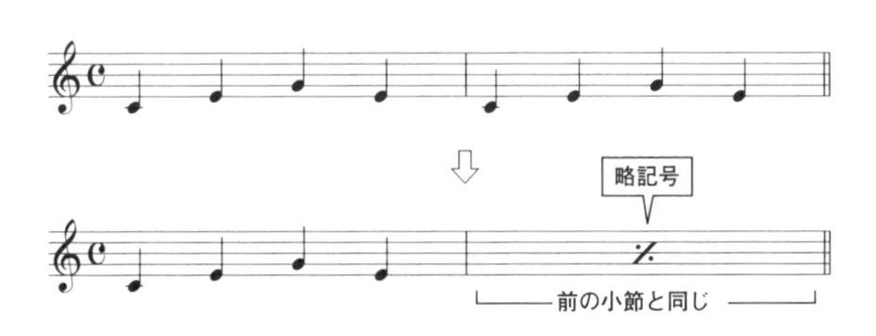

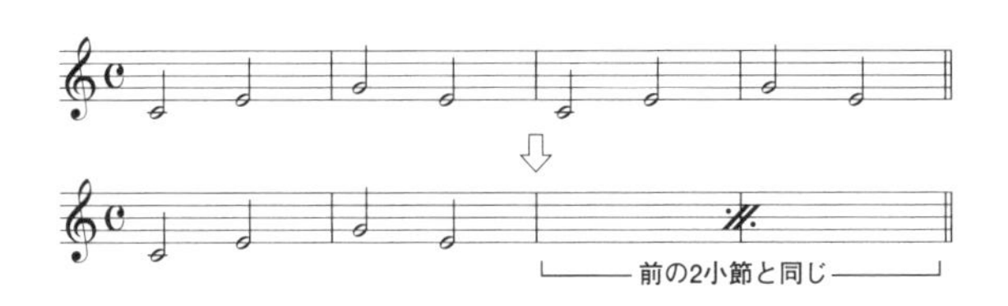

休符の省略

何小節も休み（全休符）が続く場合は、太い横線に休む小節数を書いて省略することができる。

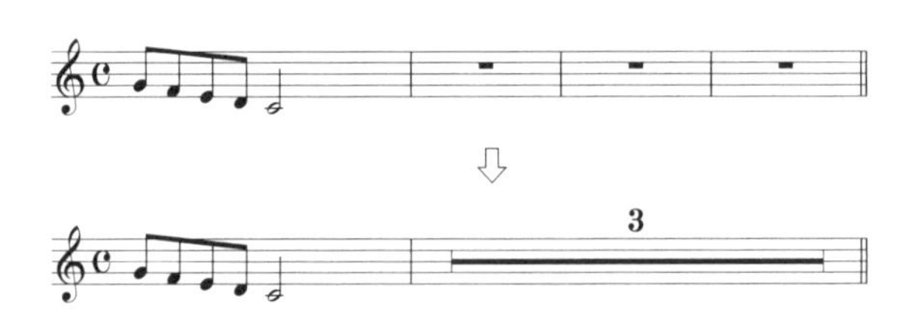

リピート

「ある程度長い小節を繰り返す」ときは、:‖（リピート）が使われる。‖: と :‖ が対になっているときは ‖: のところからもう1度繰り返す。何度も繰り返す場合は「○ times」と繰り返す回数が書かれる。

1番カッコ・2番カッコ

「同じ小節を繰り返したあと途中から変わる」ときは 1. と 2. という番号付きのカッコが使われる。1. のリピートで戻ったら、2回目は 1. は飛ばし、2. へ移る。

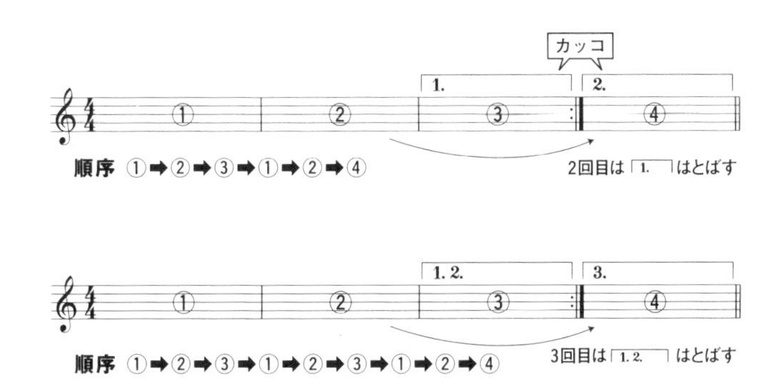

ダ・カーポ

「曲の一番最初に戻り途中で終わる」ときは*D.C.*（ダ・カーポ＝最初に戻る）と*Fine*（フィーネ＝2回目はここで終わる）が対になって使われる。「曲の最初に戻り、途中で変わる」ときは*Fine*ではなく、to𝄌（トゥー・コーダ）が途中に出てくる。to𝄌が出てきたら𝄌Coda（コーダ）という記号が必ず後で出てくるので、*D.C.*で戻って2回目のときにto𝄌から𝄌Codaの小節へ飛ぶ。

ポイント

to𝄌は繰り返して2回目以降に有効な記号。1回目は無視し、2回目のときにそこから𝄌Codaへ飛ぶ。

ダル・セーニョ

「曲の一部分を繰り返す」ときは*D.S.*（ダル・セーニョ）が使われる。*D.S.*が出てくる楽譜は必ずそれよりも前に𝄋（セーニョ）という記号が途中に出てくるので、*D.S.*から𝄋に戻って繰り返す。

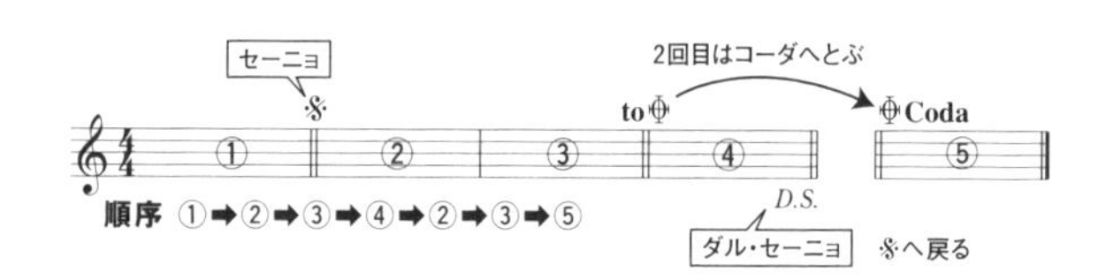

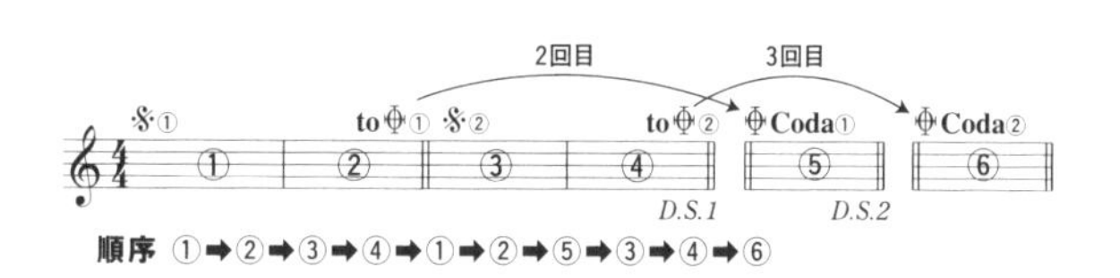

ポイント

𝄋は*D.S.*が出てくるまで無視する。*D.S.*が出てきたら𝄋から繰り返す。

7-3 その他の音楽記号と用語

強弱を付ける表記

演奏の強弱を表わす強弱記号は、基本は *f*（フォルテ＝強く）と *p*（ピアノ＝弱く）の２つの記号が使われ、この２つの組み合わせによって強弱のレベルが決まる。楽譜上で強弱記号は五線の下に書かれる。

強弱記号	読み方	意味
pp	ピアニッシモ	とても弱く
p	ピアノ	弱く
mp	メゾ・ピアノ	やや弱く
mf	メゾ・フォルテ	やや強く
f	フォルテ	強く
ff	フォルティシモ	とても強く

強弱の基準は *mf*（メゾ・フォルテ＝やや強く）が自然に演奏したときの強さと考える。

強弱を変える表記

強弱を徐々に変化させるときは、*cresc.*（クレッシェンド＝徐々に強く）と *decresc.*（デクレッシェンド＝徐々に弱く）が使われる。用語で書かれる場合もあるが、＜と＞の記号もよく使われる。また、特定の音だけを強くする場合は＞（アクセント）を音符に直接付ける。

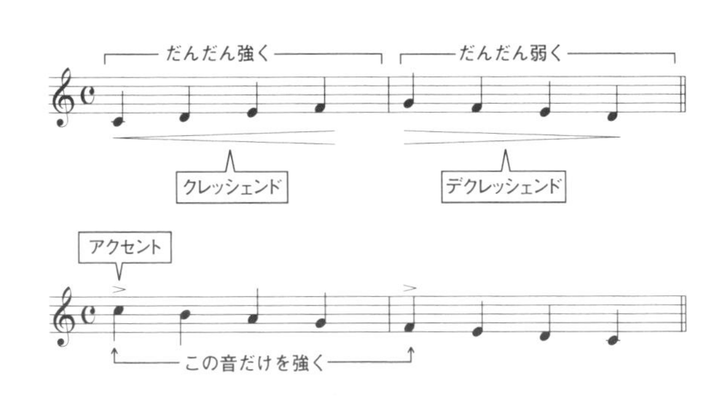

演奏法を指示する表記

奏法記号		
名 称	記 号	奏 法
スラー		高さの違う音をなめらかに演奏する。
スタッカート		はずむように短く切る。
テヌート		1音1音充分に伸ばす。
アルペジオ	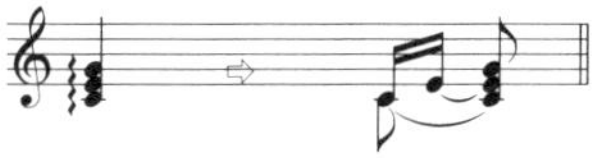	複数の音をずらして弾く。
グリッサンド	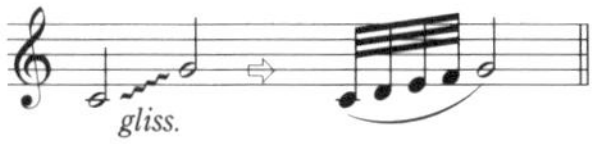 gliss.	2音間にある音をすべらして弾く。
ポルタメント	 port.	2音間にある半音を含むすべての音をつなげて弾く。

装飾記号		
名 称	記 号	奏 法
装飾音符	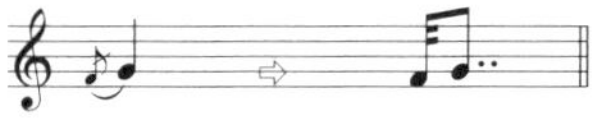	斜線がついた音符を直前に短く弾く。
モルデント	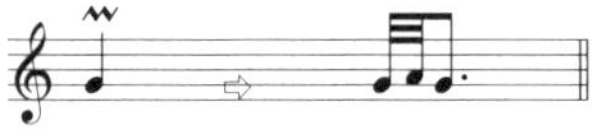	2度上に動いて戻る。
ターン		起点の音から2度上下して戻る。

ギター&ベースの奏法記号		
名称	記号	奏法
ハンマリング	H	右手で1音目をピッキングした後、左手の指で弦を叩いて2音目を出す。
プリング	P	右手で1音目をピッキングした後、左手で押さえていた弦を離して2音目を出す。
トリル	tr	ハンマリングとプリングを交互に素早く繰り返す。
スライド	S	ある音からある音まで左手で弦をすべらせて音を出しながら移動する。
グリッサンド	g g	ある音から、またはある音に向かって弦をすべらせて音を出す。
チョーキング	cho.	左手で弦を押し上げて、または押し下げて音程を変える。
チョーク・ダウン	cho. C.D	チョーキングから元の位置に戻す。
ストローク記号	⊓ V ⊓ V	⊓ がダウン・ストローク、V がアップ・ストローク。
ブラッシング		左手を軽く浮かせてミュート状態でピッキングする。
ブリッジ・ミュート	M	右手の側面で弦に触れながらミュート状態でピッキングする。

楽曲の構成に関する用語

・アドリブ
コード進行や楽曲構成を踏まえた上で、その中で自由に即興演奏すること。

・イントロ
メロディが始まる前の序奏部分。

・インターリュード
曲中の間奏部分。

・エンディング
メロディが終わった後の曲の終結部分。

・オブリガード
メロディを引き立たせるためにメロディと同時に演奏されるメロディアスなパート。

・コーラス
曲中でテーマを提示している部分。サビ。

・シカケ
リズムやコードに意外性を持たせてアレンジに効果的な変化を加えた部分のこと。

・テーマ
曲の中心となるメロディ部分のこと。

・バース
コーラスの前に配置された序奏部分。

・フィルイン
メロディの合間の空白部分を埋める即興的な演奏。主にドラムが行う。

・フェイク
メロディを装飾的な要素を加えながら崩して演奏すること。

・ブレイク
曲の合間で演奏を一時的に停止した空白部分。曲の展開の直前などに入れると効果的。

・モチーフ
メロディの最小単位。モチーフをつなげ、組み立てることでメロディは成り立つ。

・リフ
曲の中において、同じコード進行やフレーズが繰り返されること。反復フレーズ。

リズムに関する用語

・アフター・ビート
小節内のウラ（弱拍部）を強調するリズムのこと。

・ウラ
1拍を二つに分けたときの後ろの音、または小節内の弱拍部分。4/4拍子なら2拍4拍がウラ。

・オモテ
1拍を二つに分けたときの前の音、または小節内の強拍部分。4/4拍子なら1拍3拍がオモテ。

・クう
シンコペーションによってリズムのアクセントが前に移動すること。

・ゴースト・ノート
リズムのノリを出すために、ドラムやベースが演奏の合い間に挟む小さな打音。

・タメる
正確なリズムよりも気持ち後ろにひきずるようにして演奏すること。

・ツッコむ
正確なリズムよりも気持ち前のめりになるようにして演奏すること。

・バイテン
「倍のテンポ」で演奏すること。

・ハシる
テンポキープができずに演奏がどんどん速くなってしまうこと。

・モタる
ハシるの逆で、演奏がもたついてテンポがキープできないこと。

・4リズム
ドラム＋ベース＋ギター＋キーボードのこと。ポピュラー音楽でもっともオーソドックスな楽器編成。

コード表

【注意】本章では、一般的なコード・ネームを抜粋し、12キー別にキーボード&ギター&ベースの3種のダイヤグラムを掲載しています。キーボードはクローズ・ポジションの基本形、ギターとベースはロー・ポジションをメインにそれぞれ1パターンずつのみの掲載となっているので、より詳しい内容はコード・ブック等の専門書を参照してください。

C

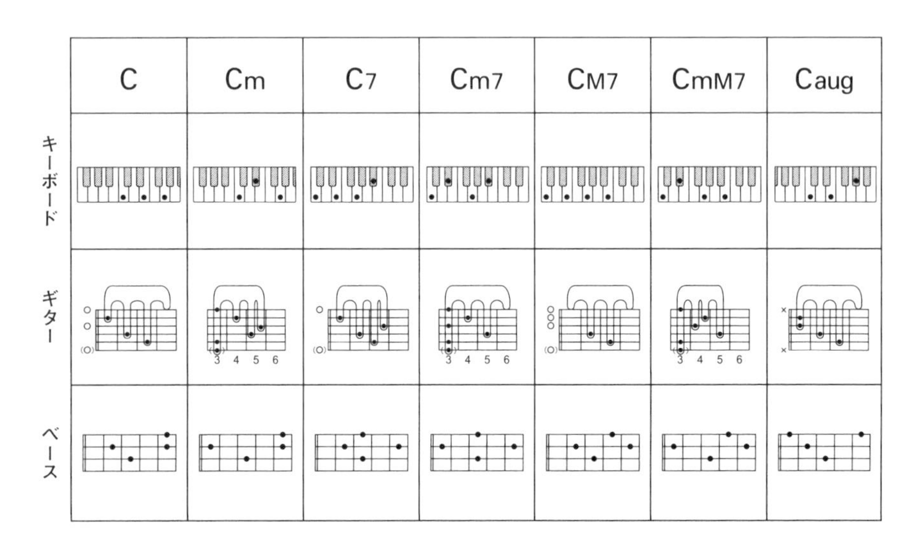

	Cdim	Cm7(♭5)	CM7(♯5)	C6	Cm6	Csus4	Cadd9
キーボード							
ギター		3 4 5 6	(○)	(○)	2 3 4 5	3 4 5 6	(○)
ベース							

C♯＝D♭

	C♯ D♭	C♯m D♭m	C♯7 D♭7	C♯m7 D♭m7	C♯M7 D♭M7	C♯mM7 D♭mM7	C♯aug D♭aug
キーボード							
ギター	×	(×) 4 5 6 7	× × 2 3 4 5	(×) 4 5 6 7	×	(×) 4 5 6 7	× × 2 3 4 5
ベース	2 3 4 5 6	2 3 4 5 6	2 3 4 5 6	2 3 4 5 6	2 3 4 5 6	2 3 4 5 6	2 3 4 5 6

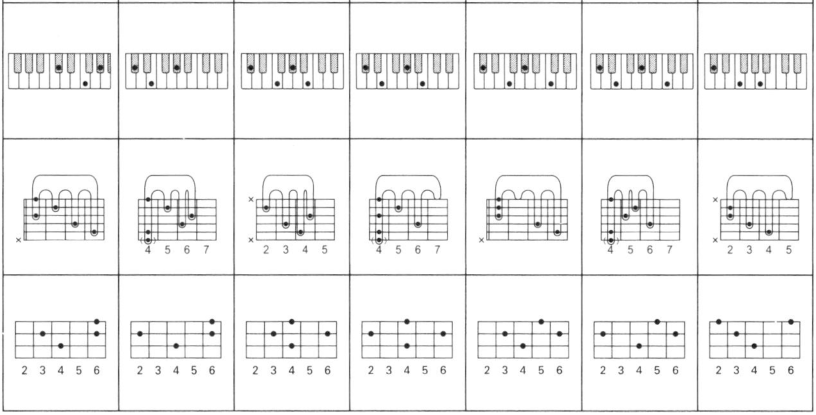

	C♯dim D♭dim	C♯m7(♭5) D♭m7(♭5)	C♯M7(♯5) D♭M7(♯5)	C♯6 D♭6	C♯m6 D♭m6	C♯sus4 D♭sus4	C♯add9 D♭add9
キーボード							
ギター	× × 2 3 4 5	× × 4 5 6 7	×	× × 2 3 4 5	× × 3 4 5 6	× 4 5 6 7	(×) 4 5 6 7
ベース	2 3 4 5 6	2 3 4 5 6	2 3 4 5 6	2 3 4 5 6	2 3 4 5 6	2 3 4 5 6	2 3 4 5 6

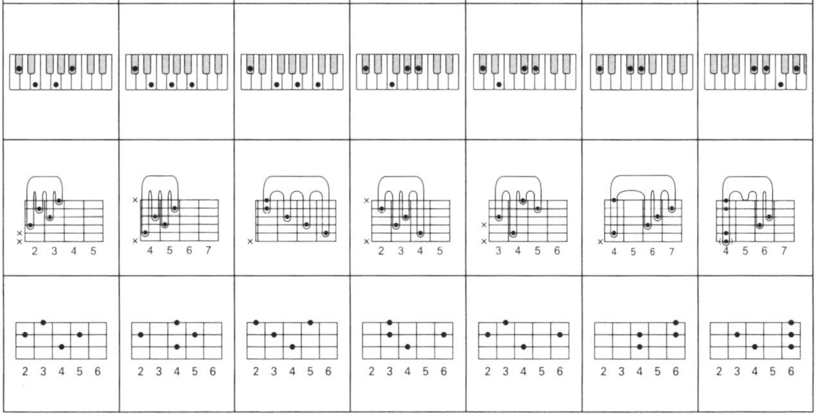

D

	D	Dm	D7	Dm7	DM7	DmM7	Daug
キーボード							
ギター							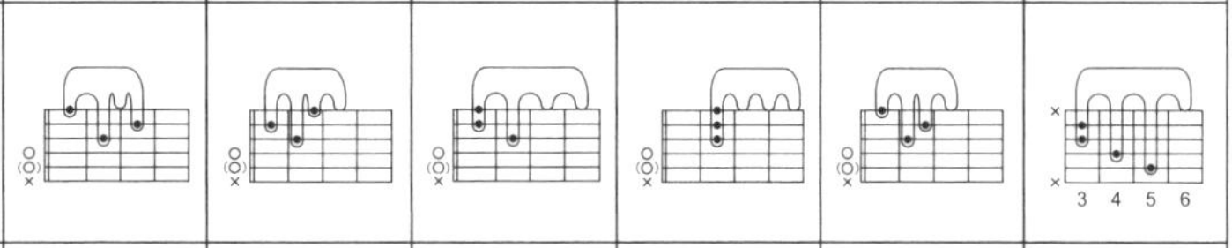 3 4 5 6
ベース	3 4 5 6 7	3 4 5 6 7	3 4 5 6 7	3 4 5 6 7	3 4 5 6 7	3 4 5 6 7	3 4 5 6 7

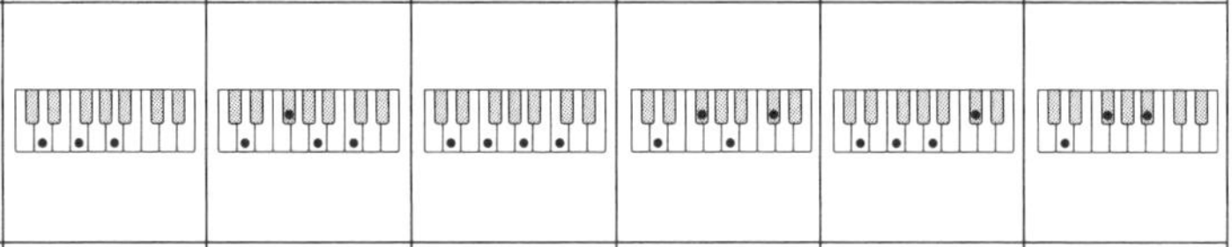

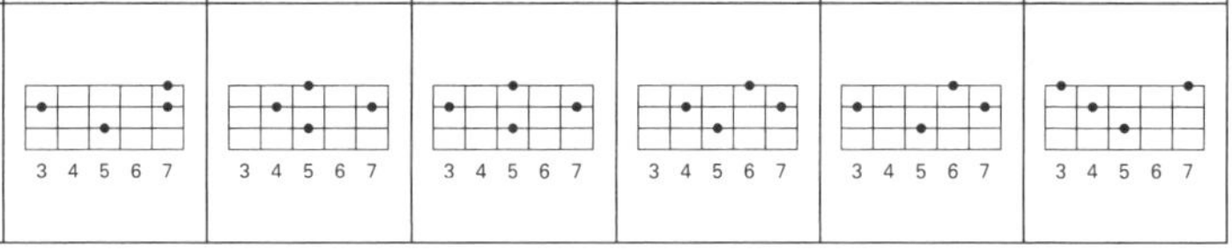

	Ddim	Dm7(♭5)	DM7(♯5)	D6	Dm6	Dsus4	Dadd9
キーボード							
ギター			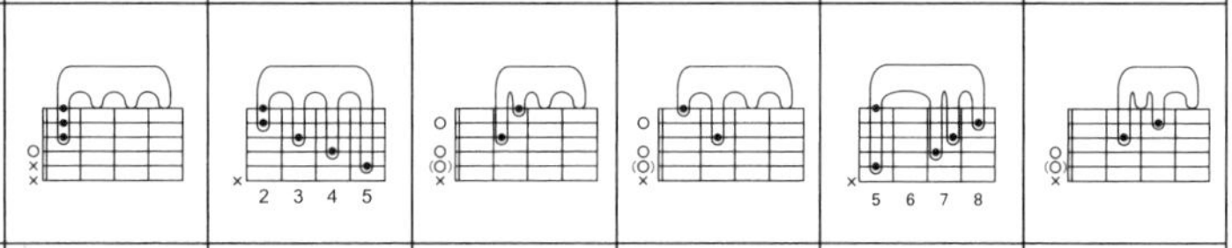 2 3 4 5			5 6 7 8	
ベース	3 4 5 6 7	3 4 5 6 7	3 4 5 6 7	3 4 5 6 7	3 4 5 6 7	3 4 5 6 7	3 4 5 6 7

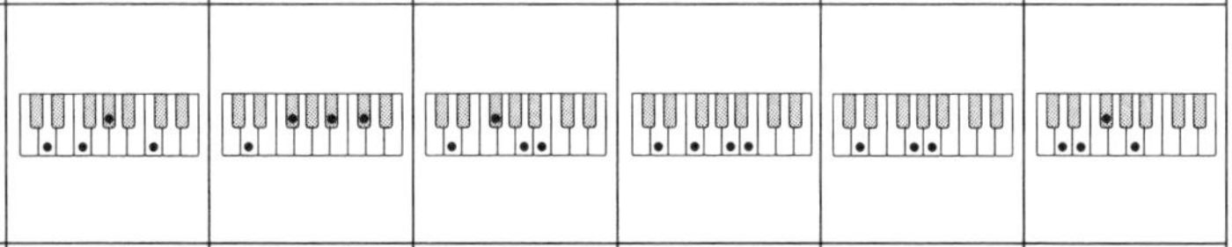

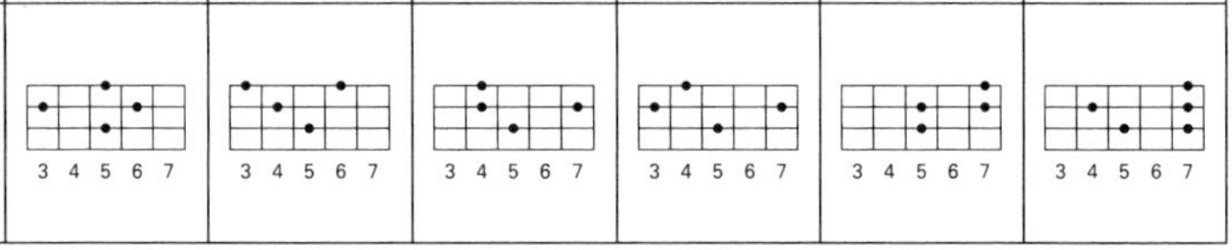

D♯ = E♭

	D♯ E♭	D♯m E♭m	D♯7 E♭7	D♯m7 E♭m7	D♯M7 E♭M7	D♯mM7 E♭mM7	D♯aug E♭aug
キーボード							
ギター		6 7 8 9	4 5 6 7				4 5 6 7
ベース	4 5 6 7 8	4 5 6 7 8	4 5 6 7 8	4 5 6 7 8	4 5 6 7 8	4 5 6 7 8	4 5 6 7 8

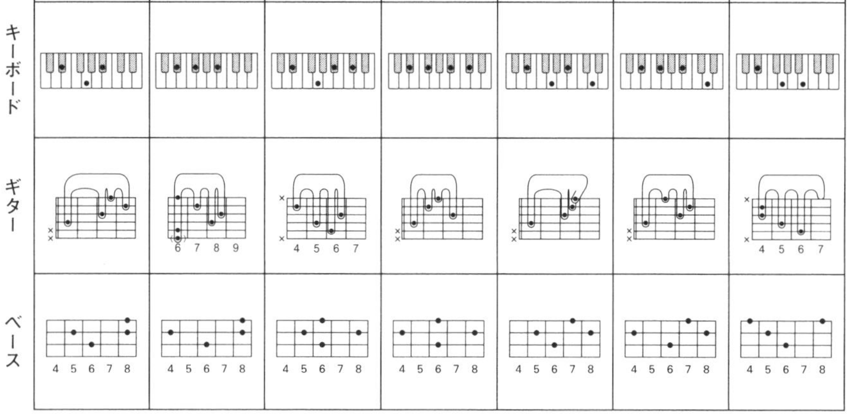

	D♯dim E♭dim	D♯m7(♭5) E♭m7(♭5)	D♯M7(♯5) E♭M7(♯5)	D♯6 E♭6	D♯m6 E♭m6	D♯sus4 E♭sus4	D♯add9 E♭add9
キーボード							
ギター			3 4 5 6	4 5 6 7		6 7 8 9	6 7 8 9
ベース	4 5 6 7 8	4 5 6 7 8	4 5 6 7 8	4 5 6 7 8	4 5 6 7 8	4 5 6 7 8	4 5 6 7 8

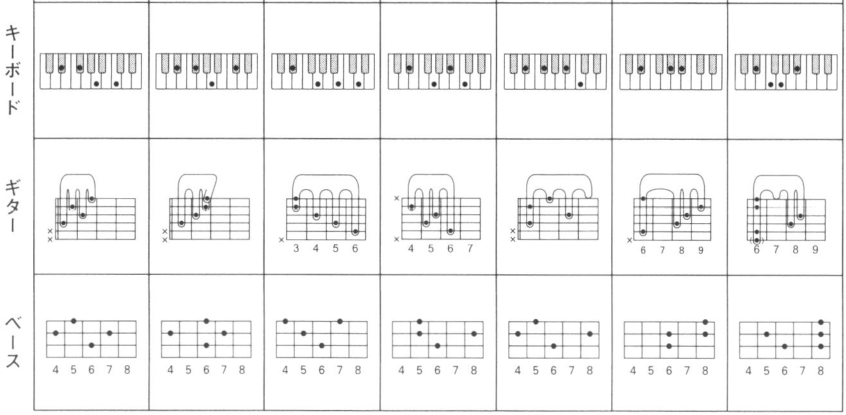

E

	E	Em	E7	Em7	EM7	EmM7	Eaug
キーボード	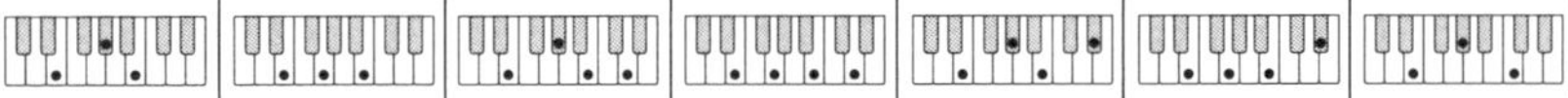						
ギター	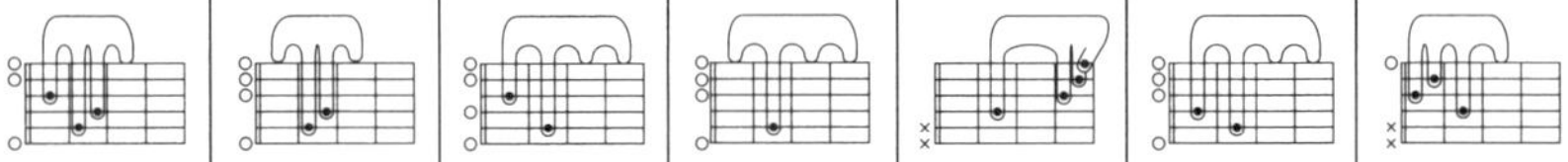						
ベース	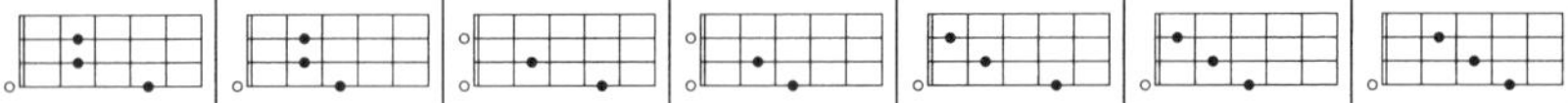						

	Edim	Em7(♭5)	EM7(♯5)	E6	Em6	Esus4	Eadd9
キーボード	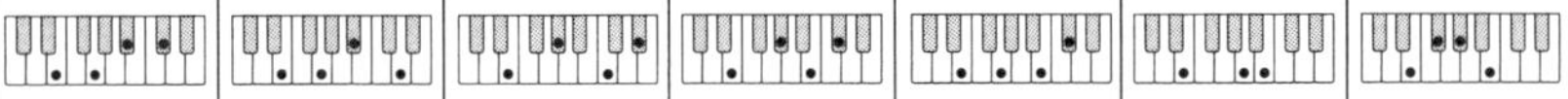						
ギター	2 3 4 5		4 5 6 7			7 8 9 10	
ベース	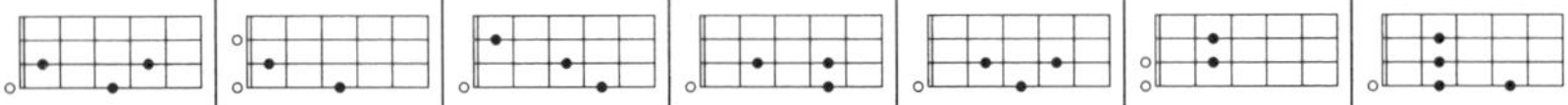						

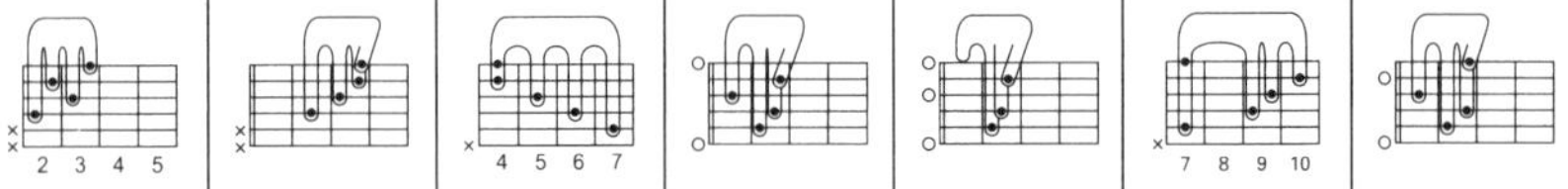

F

	F	Fm	F7	Fm7	FM7	FmM7	Faug
キーボード							
ギター							
ベース							

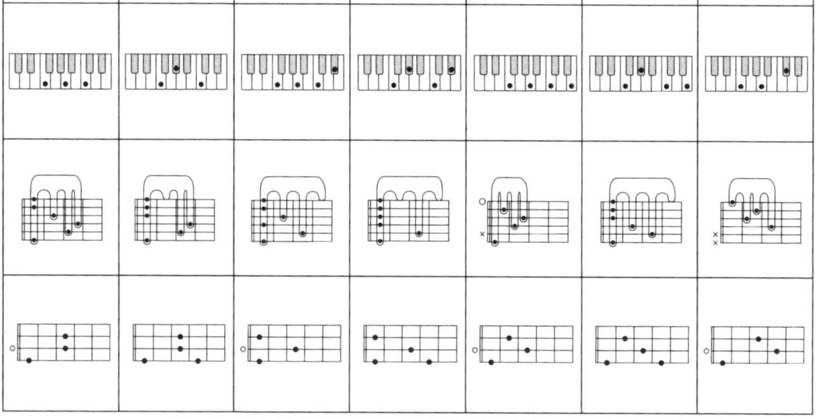

	Fdim	Fm7(♭5)	FM7(♯5)	F6	Fm6	Fsus4	Fadd9
キーボード							
ギター	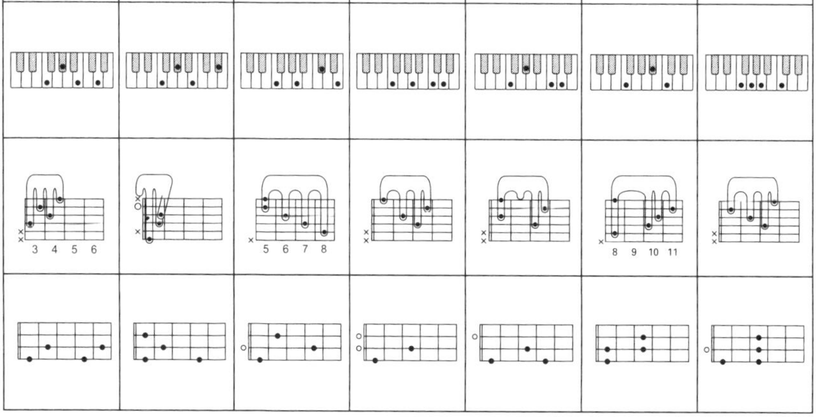 3 4 5 6		5 6 7 8			8 9 10 11	
ベース							

F♯＝G♭

	F♯ G♭	F♯m G♭m	F♯7 G♭7	F♯m7 G♭m7	F♯M7 G♭M7	F♯mM7 G♭mM7	F♯aug G♭aug
キーボード	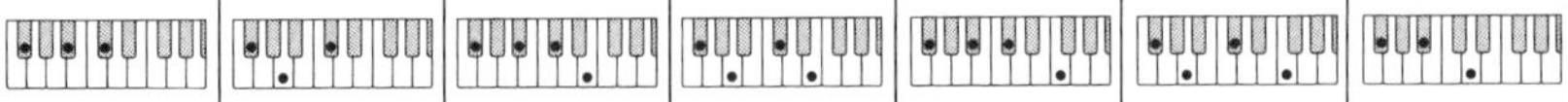						
ギター	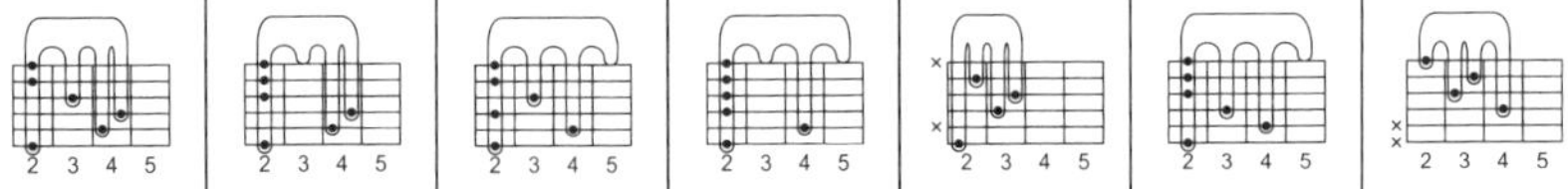 2 3 4 5	2 3 4 5	2 3 4 5	2 3 4 5	2 3 4 5	2 3 4 5	2 3 4 5
ベース	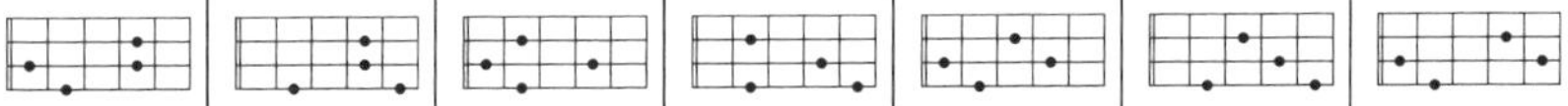						

	F♯dim G♭dim	F♯m7(♭5) G♭m7(♭5)	F♯M7(♯5) G♭M7(♯5)	F♯6 G♭6	F♯m6 G♭m6	F♯sus4 G♭sus4	F♯add9 G♭add9
キーボード	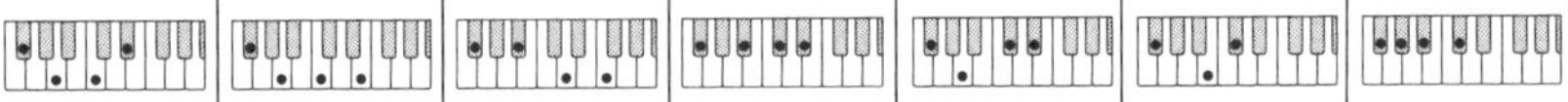						
ギター	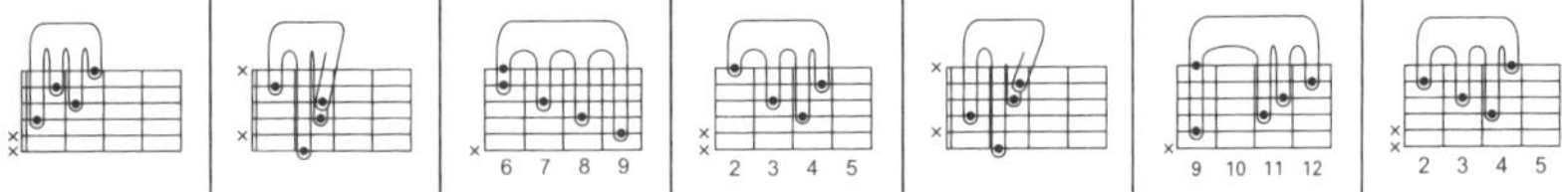		6 7 8 9	2 3 4 5		9 10 11 12	2 3 4 5
ベース	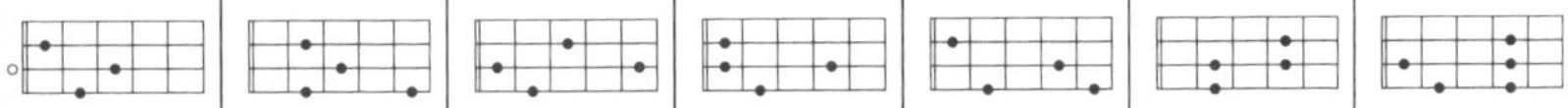						

G

	G	Gm	G7	Gm7	GM7	GmM7	Gaug
キーボード							
ギター		3 4 5 6		3 4 5 6		3 4 5 6	3 4 5 6
ベース							

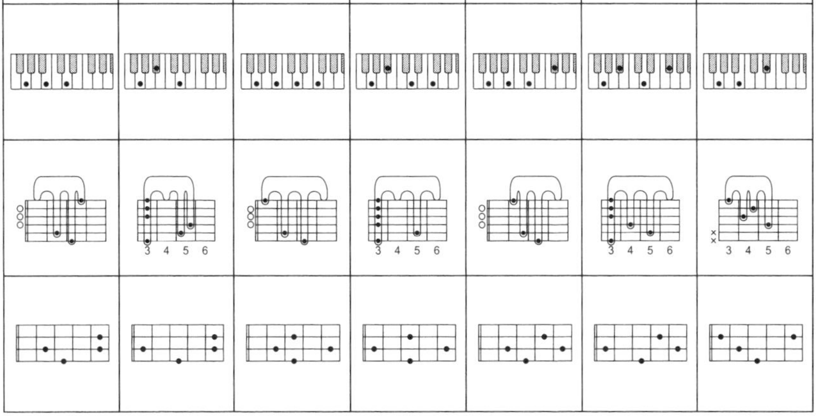

	Gdim	Gm7(♭5)	GM7(♯5)	G6	Gm6	Gsus4	Gadd9
キーボード							
ギター	2 3 4 5		3 4 5 6		2 3 4 5	10 11 12 13	3 4 5 6
ベース							

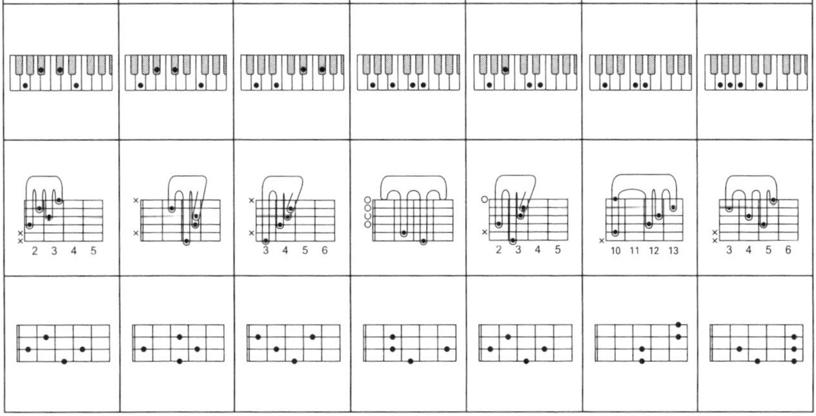

G♯＝A♭

	G♯ A♭	G♯m A♭m	G♯7 A♭7	G♯m7 A♭m7	G♯M7 A♭M7	G♯mM7 A♭mM7	G♯aug A♭aug
キーボード							
ギター	4 5 6 7	4 5 6 7	4 5 6 7	4 5 6 7	4 5 6 7	4 5 6 7	4 5 6 7
ベース	2 3 4 5 6	2 3 4 5 6	2 3 4 5 6	2 3 4 5 6	2 3 4 5 6	2 3 4 5 6	2 3 4 5 6

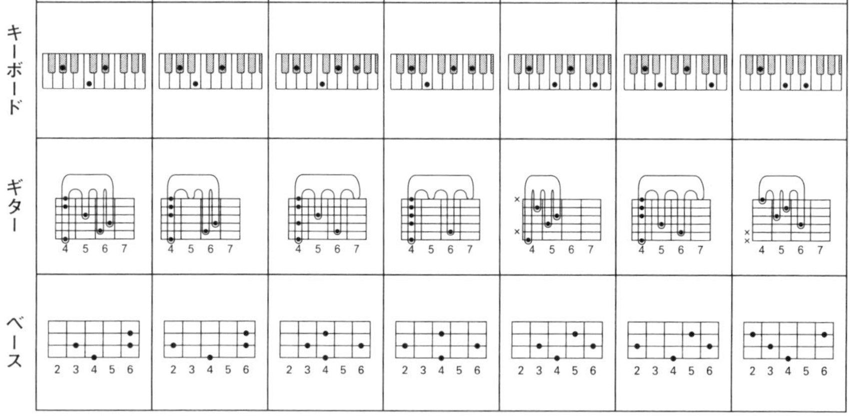

	G♯dim A♭dim	G♯m7(♭5) A♭m7(♭5)	G♯M7(♯5) A♭M7(♯5)	G♯6 A♭6	G♯m6 A♭m6	G♯sus4 A♭sus4	G♯add9 A♭add9
キーボード							
ギター		3 4 5 6	4 5 6 7	4 5 6 7	3 4 5 6	11 12 13 14	4 5 6 7
ベース	2 3 4 5 6	2 3 4 5 6	2 3 4 5 6	2 3 4 5 6	2 3 4 5 6	2 3 4 5 6	2 3 4 5 6

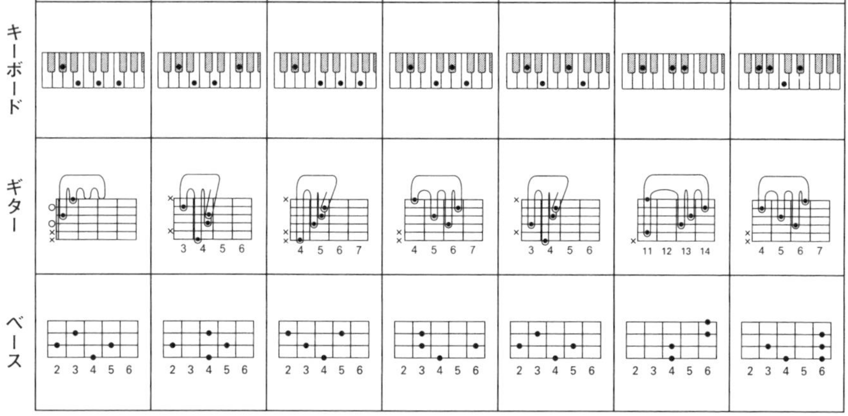

A

	A	Am	A7	Am7	AM7	AmM7	Aaug
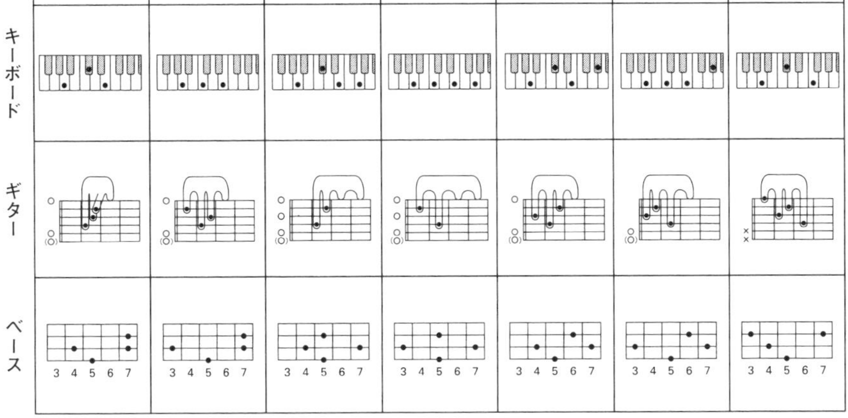 キーボード							
ギター							
ベース	3 4 5 6 7	3 4 5 6 7	3 4 5 6 7	3 4 5 6 7	3 4 5 6 7	3 4 5 6 7	3 4 5 6 7

	Adim	Am7(♭5)	AM7(♯5)	A6	Am6	Asus4	Aadd9
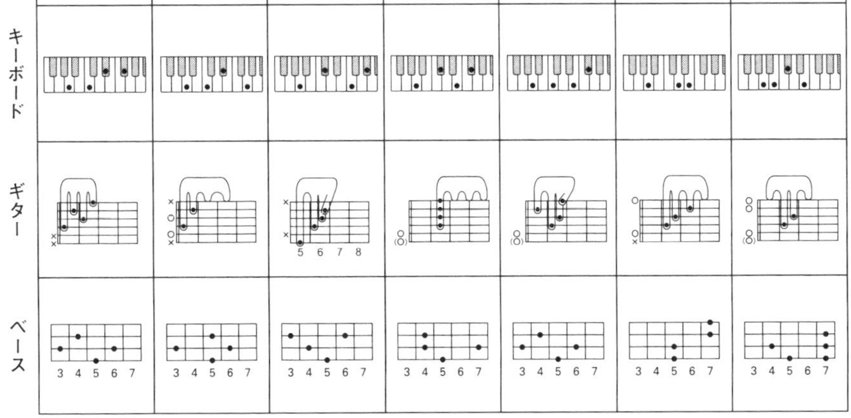 キーボード							
ギター			5 6 7 8				
ベース	3 4 5 6 7	3 4 5 6 7	3 4 5 6 7	3 4 5 6 7	3 4 5 6 7	3 4 5 6 7	3 4 5 6 7

A♯＝B♭

	A♯ B♭	A♯m B♭m	A♯7 B♭7	A♯m7 B♭m7	A♯M7 B♭M7	A♯mM7 B♭mM7	A♯aug B♭aug
キーボード	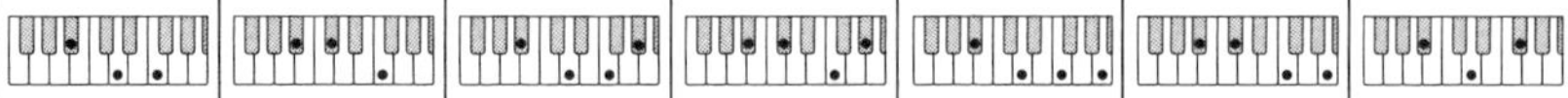						
ギター	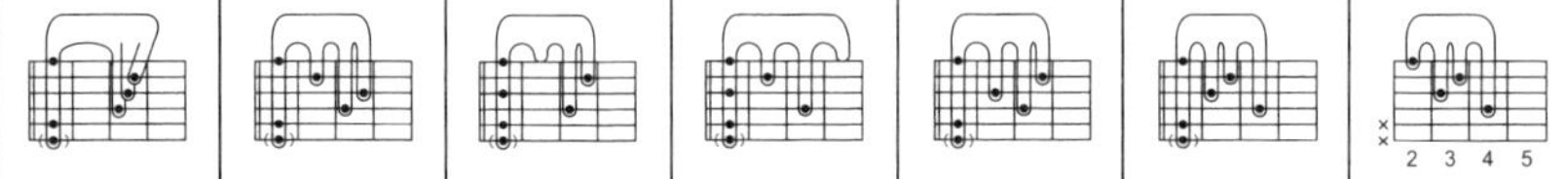						2 3 4 5
ベース	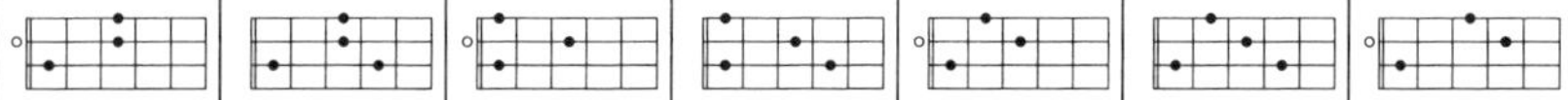						

	A♯dim B♭dim	A♯m7(♭5) B♭m7(♭5)	A♯M7(♯5) B♭M7(♯5)	A♯6 B♭6	A♯m6 B♭m6	A♯sus4 B♭sus4	A♯add9 B♭add9
キーボード	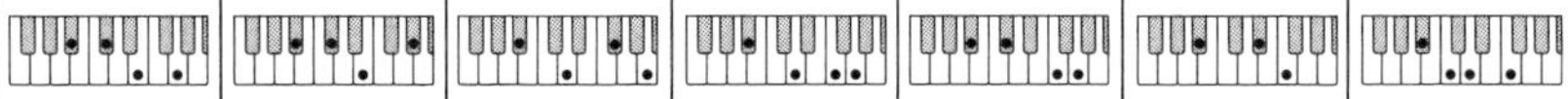						
ギター	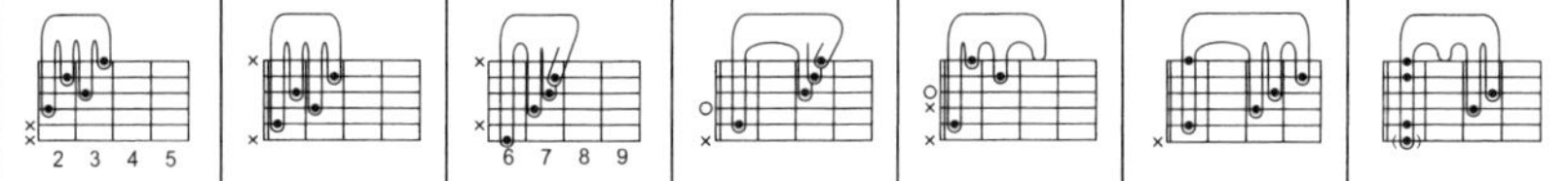 2 3 4 5		6 7 8 9				
ベース	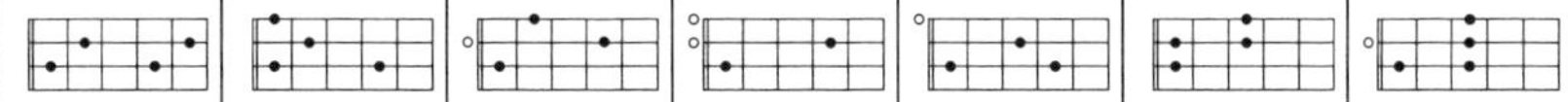						

B

	B	Bm	B7	Bm7	BM7	BmM7	Baug
キーボード	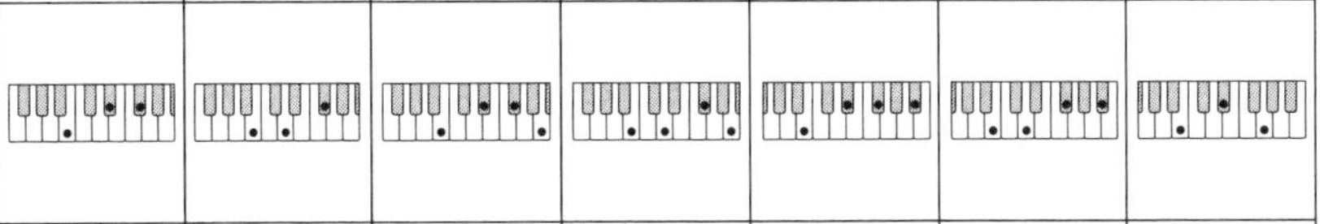						
ギター	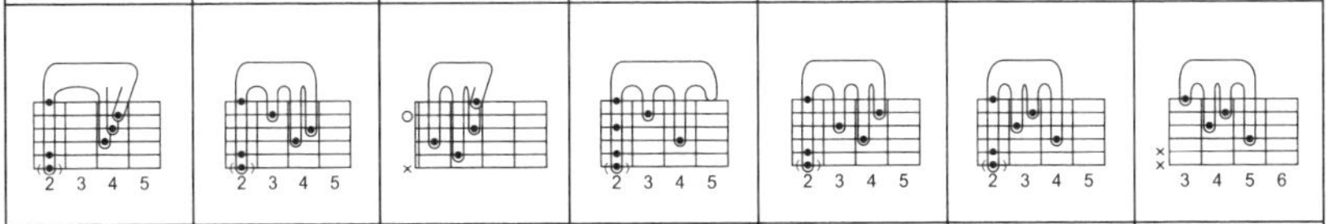 2 3 4 5	2 3 4 5		2 3 4 5	2 3 4 5	2 3 4 5	3 4 5 6
ベース	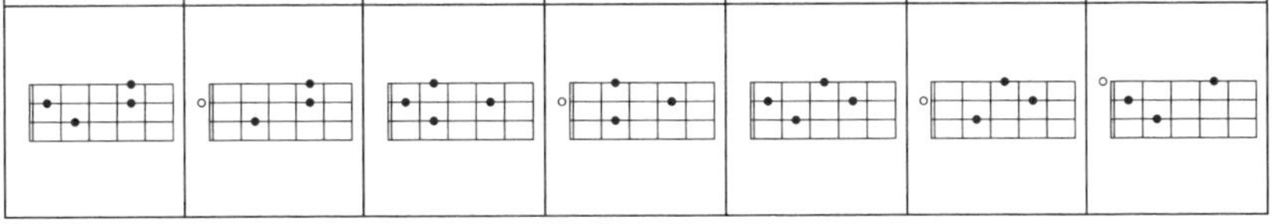						

	Bdim	Bm7(♭5)	BM7(♯5)	B6	Bm6	Bsus4	Badd9
キーボード	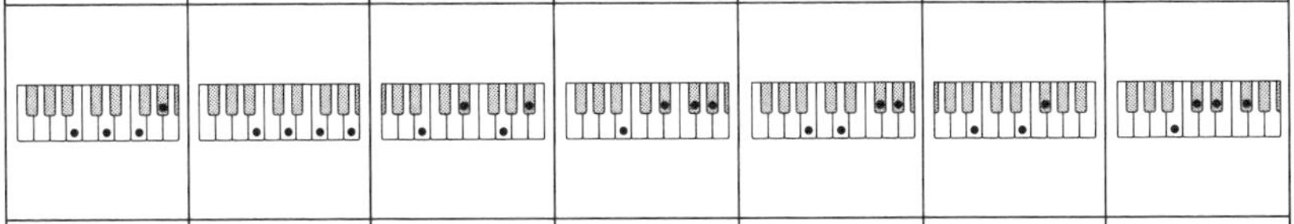						
ギター	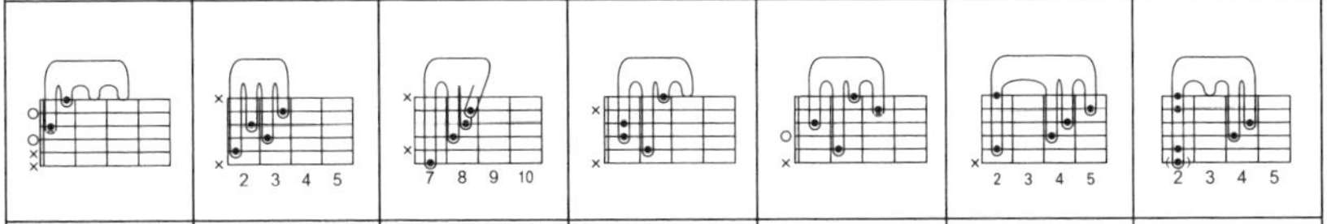	2 3 4 5	7 8 9 10			2 3 4 5	2 3 4 5
ベース	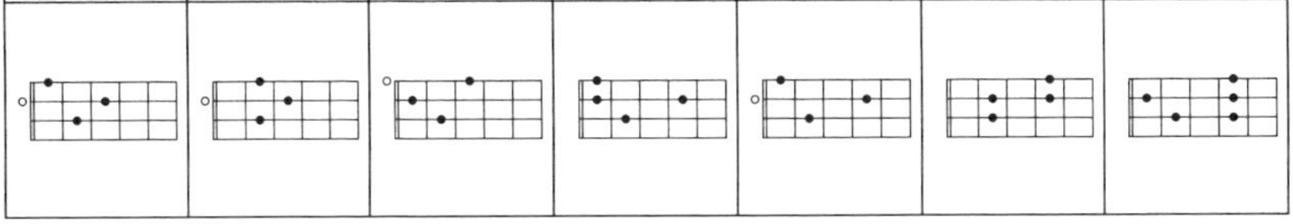						

INDEX

あ行

か行

さ行

た行

INDEX

INDEX

COLUMN

●休符のルール

たとえば 4 拍休む際には、𝄻（全休符）x1 でも、𝄼（2 分休符）x2 でも、𝄽（4 分休符）x4 でも同じということになりますが、基本的には長い休符が優先されます。記譜する記号が少ない方が楽譜は読みやすいからです。

ただし、拍が数えにくいような場合は、短い休符が優先されます。

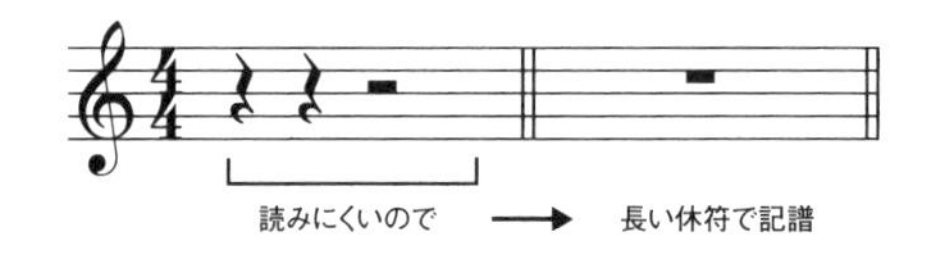

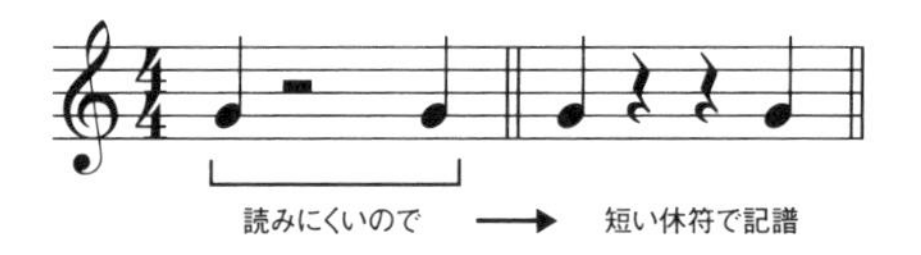

●和音の書き方

・棒はつなげて書く。

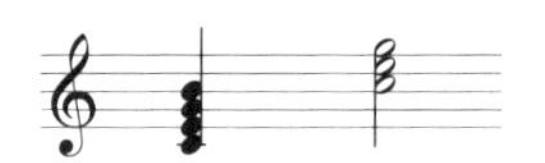

・隣り合った音は、低い方を左に書く。

・付点は縦に並べる。

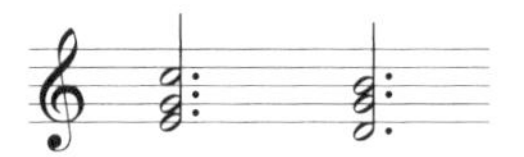

・変化記号は音符の左横へ。
複数ある場合は少しずらす。

バンド演奏に役立つ　**音楽理論まるごとハンドブック**　定価（本体 1300円＋税）

編著者――自由現代社編集部
編集者――大塚信行
表紙デザイン―オングラフィクス
発行日――2024年8月30日
編集人――真崎利夫
発行人――竹村欣治
発売元――株式会社自由現代社
〒171-0033 東京都豊島区高田3-10-10-5F
TEL03-5291-6221/FAX03-5291-2886
振替口座 00110-5-45925

ホームページ――http://www.j-gendai.co.jp

ISBN978-4-7982-2673-6